D0494716

casterman

Anita Van Belle

LES FILLES

TRAVELLING

Illustration de couverture :
Didier Lange

© **Casterman (1994)**

(Imprimé en Belgique
sur les presses Duculot.)

Dépôt légal : août 1994
D. 1994/0053/238
ISBN 2-203-56314-1
ISSN 0379-6949

« *Je suis un gardien de troupeaux.*
Le troupeau ce sont mes pensées
et mes pensées sont toutes des sensations.
Je pense avec les yeux et avec les oreilles
et avec les mains et avec les pieds
et avec le nez et avec la bouche. »

FERNANDO PESSOA.

Pour Henriette et Martin et Lulu.

Eudoxia

Parfois, on partait à la ville le jeudi, Eudoxia et moi. On prenait sa moto, et on filait dès le matin, avec un ciel encore rose. La route n'était pas longue, mais elle serpentait à travers les montagnes, et c'était un petit voyage. J'avais les cheveux de ma sœur qui me balayaient le visage, et je voyais sa nuque, si blanche, quand la vitesse nous clouait sur la selle.

On aimait chaque virage de cette route qu'on connaissait par cœur. Il y avait le vertige du grand canyon, avec le vide à notre droite, et la colline à gauche. Il y avait la chaleur de la grand-route, bordée des deux côtés par des massifs de lauriers-roses. Mais notre plus grand plaisir provenait du défilé. Deux parois de pierre abruptes à travers lesquelles le vent sifflait toujours, même si on ne le sentait pas ailleurs. La route noire, la pierre de la couleur de la terre d'ici, rouge avec des veines blanches, et le ciel bleu, au fond.

— Défilé ! hurlait Eudoxia.

Et moi, dans une vague d'amour, je scandais le nom de ma sœur.

— Eu-do-xia, Eu-do-xia...

Je voulais l'épouser. J'étais la honte de la famille parce qu'où allait Eudoxia, j'allais. Je riais quand elle riait. J'apprenais par cœur ses chansons favorites, et je les lui chantais, sur la plage, à cette heure où la mer descend et l'odeur de l'algue devient plus forte.

Mon père m'avait dit non. Seulement en Ancienne Egypte, les garçons épousent leur sœur, et encore, les princes. Mais moi, j'étais le prince de la pêche. L'empereur de ma côte. Personne n'osait dire le contraire. Je glissais des coquilles de moules entre mes doigts serrés, et mes poings devenaient tranchants comme des rasoirs. Non, personne ne me contrariait. Personne ne m'aimait non plus, peut-être. Je n'en étais pas sûr.

On arrivait en ville par le petit port, et les marchands d'éponges nous faisaient signe en passant. On longeait à moto la terrasse des cafés, et les bateleurs qui faisaient la harangue pour la visite de l'Ile aux Lépreux apostrophaient ma sœur.

Les roues de sa moto se bloquaient doucement devant l'église. Le vent nous avait collé les cheveux en arrière, et on était couverts de poussière. On se lavait les mains et le visage à la fontaine, puis on entrait.

L'église était belle, comme les églises de chez nous. On prenait une tranche de pain blanc dans la corbeille en plastique, et on la mâchait lentement. Le jour passait à travers les vitraux de couleur, et pendant que je mangeais mon pain, je regardais la ville, teintée de bleu, teintée de vert, teintée de jaune. Chacune de ces couleurs convenait à un état d'esprit, et ma couleur préférée, celle du bonheur, était le bleu. La couleur de l'eau.

Je mangeais plus lentement qu'Eudoxia, et je ne savais pas prier comme elle, agenouillé. Je regardais l'homme qui balayait les miettes de pain et les jetait aux pigeons, sur le parvis. J'écoutais psalmodier les femmes qui se frappaient la tête contre les petites portes de la chapelle, avec une soucoupe où brûlait de l'encens à la main. J'allais revoir la peinture qui me terrifiait enfant, et ma peau se hérissait encore devant les soldats de Pilate qui portaient des têtes tranchées de nouveau-nés dans un repli de leurs robes.

Après ce tour de l'église, j'arrivais devant l'icône du saint. Sa tête, ses mains et sa jambe gauche, serrée dans l'étrier, étaient d'or. En priant, les femmes glissaient une branchette d'olivier derrière l'icône, puis elles embrassaient la vitre qui la protégeait. Certaines accrochaient sous le saint, à une barre en cuivre, une plaquette de métal gravée qui illustrait leur prière : deux yeux signifiait que leur vue baissait, un nourrisson qu'elles étaient enceintes, un communiant que leur fils approchait de la date fatidique. Eudoxia allumait un cierge.

Ce jour-là, comme les autres jours, je glissai un doigt nonchalant dans la rangée d'ex-voto. Les plaquettes d'argent tintèrent, et une prieuse se retourna. Je m'arrêtai un instant. Puis ma main droite se remit à égrener les prières gravées : pour une jambe souffrante, pour un vieil homme, pour une nouvelle recrue en uniforme... Soudain, je la vis, elle. L'image d'une jeune femme au profil parfait. Sa chevelure était serrée en chignon. Elle portait une blouse à col de dentelle qui s'arrêtait sur un cou long et fin.

Il y avait deux sortes d'ex-voto. L'homme qui les fabriquait habitait une petite maison, près de l'église. Devant, il avait planté un jardin dans de vieux bidons d'huile d'olive recouverts de chaux. Derrière, il avait son atelier. Comme j'aimais ses plantes, il m'avait invité à entrer. Il fabriquait certaines plaques d'argent en série, comme celles qui représentaient les parties du corps humain. Celles-là étaient toujours identiques, et on les achetait pour presque rien à la boutique de l'église. Mais l'homme gravait aussi des plaques sur commande, d'après une photo qu'on lui apportait, et l'ex-voto que j'avais trouvé appartenait à la seconde catégorie.

Je saisis la fine plaque d'argent entre mes doigts. Le menton légèrement arrondi, les petites mèches qui couvraient les oreilles. C'était elle, je le savais. J'allais enfin pouvoir épouser une autre femme qu'Eudoxia.

Je regardai le saint. Il pouvait faire un miracle. Je mis la main dans la poche de mon short et·glissai une pièce de monnaie dans le tronc de bois. Je choisis un cierge de cire brune. Ceux de cire blanche, je ne les aimais pas, on aurait dit qu'ils ne venaient plus des abeilles. J'allumai le cierge et le plaçai juste face à elle. La flamme jetait du doré dans ses cheveux.

— Nikos, murmura ma sœur.

Elle m'attendait. Une rage me prit, et je défis le nœud qui suspendait la fine plaque d'argent à l'icône. Je fourrai l'ex-voto volé dans la poche de ma chemise.

Eudoxia regardait la place, à travers les vitraux. C'était mauvais signe.

— Aujourd'hui, j'y vais, dit-elle.

Elle attacha ses cheveux. Ses yeux me balayèrent, verts et inquiets.

Eudoxia voyait un homme. Elle m'amenait à la ville avec elle, mais certaines après-midi, je restais seul. Elle m'avait déjà proposé de le rencontrer, mais j'avais refusé. Elle essayait souvent de me dire son nom. J'avais bonne mémoire. L'été précédent, pendant mon travail au garage, j'avais appris l'anglais pour touristes tout seul, avec un livre, en un mois. Mais je ne me souviendrais pas du nom de l'homme d'Eudoxia, même dans les siècles. Quand je pensais à lui, je regardais le vitrail rouge, et je voyais le monde baigné de sang.

Eudoxia fourrait son jeans dans la petite cavité sous le guidon de la moto. Elle était en robe. On allait ensemble vers le marché, manger quelque chose. On enfilait les petites rues, on voyait la maison vénitienne, l'homme qui fabrique les prothèses dentaires, les cafés avec les portraits du Président, et les vieux qui jouent au trictrac.

Je m'arrêtai devant les fruits, et Eudoxia chez le boucher.

Les vendeurs nous saluaient, même les marchandes d'épices, d'alcool, et de souvenirs. Eudoxia plaisait à tout le monde. Elle avait la moitié de la ville en poche, y compris le fils d'un juif des quartiers de la haute, un de ceux qui avaient un magasin de tissu grand comme la halle aux poissons.

On s'était assis dans un de ces bistrots au milieu des échoppes, et Eudoxia me regardait encore par en dessous. Je voulais lui montrer l'ex-voto, et lui dire que, cette fois, l'homme qu'elle voyait était loin parce que j'étais tombé amoureux d'une image argentée, et que ça me faisait bizarre.

Au lieu de ça, je lui montrai un tableau accroché au-dessus du comptoir. Il représentait Jésus à une table de bourgeois. En arrière-fond, on voyait les pyramides d'Egypte.

— Tu vois, on est sous les pyramides, j'ai dit. Je suis un prince et tu es ma princesse.

J'ai déposé un baiser dans le creux de sa main. Elle a agrippé ma chemise et m'a embrassé.

— Idiot.

On a mangé des olives en parlant de tout et de rien. On écoutait la radio. Après le café, Eudoxia est partie en silence.

J'ai gardé la tête baissée. Elle marchait comme sur des œufs, et sa robe ondulait sur son corps en vagues courtes.

Je ne devais pas la regarder pour savoir.

Je me suis mis en route quand les échoppes du marché ont fermé. Il faisait chaud. Je me suis laissé glisser vers la forteresse. En descendant vers la mer, l'air circulait à nouveau dans les ruelles. Mais ce n'était pas l'air de notre plage, ni celui des montagnes. Celui-ci était chargé d'odeurs de pourriture, d'essence, de fruits, de linge mis à sécher.

J'ai entendu une balle rebondir dans une petite cour, et je suis entré. C'était une école. J'ai fait une partie de basket avec deux types, un grand et un petit. Je ne marquais aucun panier, alors je suis parti.

Je n'ai pas la taille, pour le basket. Parfois, je pense que je n'ai pas la taille, en général, pour la vie.

Je me suis arrêté devant un de ces camions qui vendent des fruits, avec une balance accrochée aux ridelles. Il vendait des pastèques. J'ai mangé une tranche de pastèque, avec le jus qui me coulait de la bouche. Devant moi, il y avait un terrain vague, des tas de roues et de matelas défoncés, puis la digue, puis la mer, puis les montagnes, dans le fond. Je pensais à la chambre où se trouvait Eudoxia. J'ai lancé l'écorce de pastèque le plus loin possible.

Une heure ne s'était pas écoulée. J'ai acheté un bouquet de pois chiches en cosses. Je me suis hissé sur la jetée. Un sachet de plastique sautait dans le vent. Je l'ai attrapé, et puisque je l'avais en main, j'ai décidé d'aller aux moules.

J'ai sauté à bas de la jetée, du côté de la mer, j'ai sorti mon couteau et me suis mis au travail. Elles venaient difficilement. Je ne connaissais pas les bons endroits. Je me suis coupé, à la jambe. Mais au bout d'un certain temps, le sachet était plein. Je l'ai laissé à la femme qui vend de la friture, à côté de la forteresse. Je me sentais vide.

La forteresse brillait dans le soleil, alors je suis entré. A cette heure, il y avait peu de touristes. Je me suis installé dans un créneau, la tête tournée vers la baie, et j'ai dénoué l'ex-voto. Je l'avais passé à ma ceinture pour ne pas le perdre en détachant les moules.

J'ai fermé les yeux, et j'ai passé mes doigts sur les contours du métal gravé. L'image de la femme m'a troublé comme la première fois où je l'avais vue, à l'église.

— Je t'aime, j'ai dit.

« Je vais t'épouser. Je serai fidèle. »

J'ai rouvert les yeux, et ça y était. De temps en temps, elles viennent, quand je me sens coupable. J'avais volé l'ex-voto. J'avais volé l'image d'une femme aimée puisque la plaquette n'était pas venue s'attacher sous l'icône du saint toute seule. L'homme qui l'avait nouée à la barre de cuivre s'attendait à ce qu'elle y reste, à ce que l'ex-voto reste auprès du saint aussi longtemps que sa femme reste auprès de lui. J'ai appliqué les doigts sur mes paupières, mais c'était trop tard. Les têtes coupées des nouveau-nés de Pilate dansaient dans la lumière.

— Viens, viens, viens, criaient-elles.

Elles criaient pour que j'aille les rejoindre. J'étais coupable. Je devais payer.

— Tue-toi, criaient-elles.

Le cou me serrait. Le sol de la jetée était proche, si proche que je pouvais le toucher de la main. La mer, à chaque vague, montait vers moi. Le ciel s'ouvrait pour m'engloutir. Je voyais noir, j'avais froid, j'ouvris les yeux. Elles avaient disparus, mais je les entendais encore.

— Tue-toi. Tue, tue, tue. Tue-toi.

J'ai serré l'ex-voto si fort que j'avais deux lignes bleues imprimées dans la paume de la main.

Je m'adossai de tout mon poids à la pierre. Je sentis mon corps boire sa chaleur.

A nouveau, la forteresse surplombait le port. La mer battait, au loin. Les mouettes, dans le ciel, étaient inaccessibles. Et la camionnette de la marchande de friture, avec son auvent blanc et rouge, n'était plus qu'un point coloré parmi les terrasses.

Une ombre réapparut quand je pensai que, peut-être, cette femme qui avait pris la forme de mon amour, je ne la rencontrerais jamais. Depuis que j'avais son image au creux de la main, mes désirs erraient à sa rencontre, mais ils vogueraient peut-être autant que je vivrais, désirs sans attaches, repoussés par tous les cœurs, comme les bateaux de lépreux, refusés dans tous les ports.

Pourtant je sentais naître en moi un sentiment sincère. J'avais toujours cru que je ne pourrais pas aimer une autre femme qu'Eudoxia, mais l'image du cou gracile me détrompait. Je remis la plaquette dans la poche de ma chemise.

Je m'imaginai courir vers cette femme, et ma vision ne fut interrompue par aucun cri. Elle se poursuivit jusqu'au bout. Je respirai son parfum. Elle était si belle, je la tenais si proche, et elle s'évanouit.

Ma sœur déboucha d'une ruelle, au loin. Elle me fit un signe du bras. Eudoxia marchait à sa façon, les épaules en arrière, la tête penchée sur le côté. Je la voyais chaque matin se lever, les lèvres pleines, le visage entre les mains. Elle prenait sa douche et sortait à petits pas, une serviette nouée autour des reins, et rien au-dessus. Si cette beauté allait à un type qui vivait ici, pas beaucoup plus loin que chez nous, j'avais toutes mes chances.

Je dévalai les escaliers de la forteresse, et repris mon sac de moules et mon bouquet de pois chiches chez la marchande. Je courus vers Eudoxia, de toutes mes forces, pour sentir mon cœur battre et le vent me remplir les poumons. Je m'arrêtai pile devant elle. Elle riait un peu, pas trop sûre. D'habitude, je lui faisais payer son absence. Je me traînais. Je lui faisais la tête.

— Ouvre la bouche, j'ai dit.

Elle a entrouvert les lèvres en fronçant les sourcils. Je lui glissai deux pois chiches sur la langue.

— Mmhhh, dit-elle. Mmhhh. Encore.

Elle tendit les mains et je les remplis de cosses. On remonta la rue principale. Je marchais vite en lançant des chansons aux vieilles qui se penchaient aux fenêtres.

— Une course, j'ai dit. Une course jusqu'à la moto.

Elle lança le reste des pois chiches dans le caniveau. En deux secondes, elle galopait devant moi. Quand j'arrivai, elle avait déjà passé son jeans, et le moteur pétaradait. J'étais furieux.

— C'est à cause des moules ! C'est moi qui trimballais le sac. Comment veux-tu que je coure, avec ce sac ?

Elle éclata de rire.

— Pauvre Nikos ! C'est la faute aux crustacés !

Quand elle revenait de chez lui, elle parlait d'une manière différente. Elle parlait, elle bougeait, elle sentait différent.

— Aux crus-ta-cés ? Bien, madame. Et madame désirera-t-elle ces crustacés pour souper ?

Je me posai une moule sur la tête et la soulevai comme un chapeau.

— Ce soir, au menu, nous aurons : crustacés de la ville, j'ai dit. Frais de l'après-midi.

Elle fit une grimace. Je me débarrassai du crustacé et embrassai Eudoxia sur la bouche, presque pas, comme le vent caresse la pointe des blés.

Elle sursauta.

— Fini les pyramides, je suis tombé amoureux. C'était pour te dire au revoir. Au revoir, j'ai répété, en plongeant mes yeux dans les siens.

Elle fit « oui » de la tête. Elle leva la main et la passa doucement sur ma nuque, sous le col de ma chemise.

— Tu as grandi ? demanda-t-elle.

— Je suis amoureux.

Elle lança la moto et ne fit plus rien d'autre que conduire. A la sortie de la ville, elle accéléra et se pencha un peu vers l'arrière. C'était sa façon. On roulait sur la bande d'urgence. Les automobilistes nous doublaient, et tous, ils regardaient ma sœur, mais elle, elle regardait les montagnes.

La vitesse me rendait fou. Elle me donnait envie d'exploser. J'aimais le vent qui nous giflait, et la vibration de mon corps accouplé à la moto. On arrivait au défilé, et j'ai crié à Eudoxia :

— Aujourd'hui, je veux essayer !

J'ai posé mes pieds sur la selle, et je me suis tenu accroupi, les mains aux épaules de ma sœur. Puis, je me suis relevé. J'ai étendu les bras. Le vent me frappait, la moto tremblait, je regardais le ciel, et le ciel me remplissait.

— Je suis vivant, j'ai hurlé, vivant !

Eudoxia a klaxonné, et le défilé s'est rempli d'échos. Mes cris, la musique du moteur, et le sifflement du vent sur la pierre, avec le jour qui tombait. On a continué comme ça, jusqu'à la fin des murs. Eudoxia s'est arrêtée, juste une seconde, pour que je redescende, puis on est repartis. On ne se parlait plus.

Quand nous avons passé le canyon, je l'ai serrée. Le ciel était rouge. Je sentais la plaquette dans ma poche de poitrine. J'ai laissé aller ma tête contre la sienne. Une veine de son cou était gonflée et battait.

Schubert

C'ÉTAIT un de ces jours si chauds que même le carrelage de la salle à manger paraissait tiède. Je n'avais rien à faire. Ma sœur était sortie, et maman travaillait dans la cuisine. De ma chambre, j'entendais le bruit des casseroles qu'elle entrechoquait. J'avais fini de lire, et il me semblait que l'après-midi était un océan sans fond. Si je ne bougeais pas, je risquais de me transformer en plante aquatique, un de ces machins vert et brunâtre qui ondoient au gré du courant et s'enroulent autour des mollets des mauvais nageurs pour leur faire frôler la crise cardiaque.

Il n'était pas question que je devienne une plante aquatique, alors je me suis levée.

De temps en temps, je fais des choses que je ne devrais pas faire. C'est comme si ma volonté se retrouvait sur une pente savonneuse qui conduit au délit : je ne peux pas m'en empêcher. Dans la maison, je vais où je veux, sauf dans la chambre de maman. Cet après-midi océanique de chaleur intense, la pente s'arrêta devant sa porte blanche à deux battants. Un petit pas, et j'étais dans la chambre interdite.

Je ne sais pas si vous êtes curieux de l'avenir. Moi je ne l'étais pas. Ça m'était égal de penser que dans dix ans je serais peut-être vieille, ou mariée, ou chef d'Etat. Je voulais simplement que la vie soit un peu plus douce qu'elle ne l'était alors. Entre maman et Serena, je me sentais en cage. Il faisait si chaud, et je commençais à avoir des boutons horribles à regarder, et quand je m'allongeais pour dormir, il y avait quelque chose qui me gênait au niveau de la poitrine, et je sentais bien que je ne m'y habituerais jamais.

Tout ça pour dire que quand j'ai pris les affaires de maman, ce n'était pas pour me vieillir, mais plutôt pour oublier la chaleur et tout le reste. Je me suis mise devant le miroir. Avec les volets tirés, la lumière était douce. Elle me plaisait comme ça : de la pénombre juste striée de quelques rais de soleil. J'ai mis du rouge, et du bleu, encore du rouge, un diadème, des souliers blancs à talons, une robe de mousseline, et du vernis sur les ongles des mains. A la fin, ce n'était plus moi que je regardais, et je n'ai même pas sursauté quand j'ai entendu maman rentrer dans le salon avec la signora d'Angelli.

Je suis restée assise, calmement. Dehors, la Cristina a appelé son Antonio, qui était au café du coin, et toutes les ménagères de la rue se sont penchées pour passer le message, de balcon en fenêtre, jusqu'à la terrasse du café Nastro, d'où Antonio a répondu qu'il rentrerait tout de suite. Le message a retraversé la rue en sens inverse, jusqu'à la véranda de Cristina, qui est rentrée dans l'appartement en claquant la porte-moustiquaire.

Je ne pensais pas à mon avenir en termes précis, mais je ne voulais pas finir comme Cristina.

La chambre était immobile. Il ne me restait pas grand-chose à exploiter, j'aurais pu mettre de la poudre ou du parfum, mais par cette chaleur, ni l'un ni l'autre ne me tentait. J'avais presque oublié où j'étais. Parfois, je regardais le miroir, parfois la lumière, et j'entendais le bruit du café que maman servait à la signora d'Angelli.

Je le jure, je serais rentrée dans ma chambre, si maman n'avait pas prononcé mon nom.

— Alba...

Et puis le nom de ma sœur.

— Serena...

Maman parlait de nous à une étrangère. Mon cœur s'est mis à battre vite, si vite que j'ai eu du mal à arriver jusqu'à la porte sans penser que ses battements allaient les avertir de ma présence. Une fois que la tempête de tout ce sang qui me passait dans les oreilles à toute vitesse s'est calmée, j'ai pu écouter.

D'abord, je n'ai pas très bien compris de quoi il s'agissait. La signora d'Angelli parlait de ses fils (elle en avait cinq) et elle précisait pour chacun d'eux s'il avait été un accident, ou non. J'ai cru que Giorgio et Michaele s'étaient cassé la figure en mobylette. Ils empruntent toujours celle du fils du poissonnier, et ils foncent dans la via Bontempi qui est de mémoire romaine, depuis que la signalisation routière existe, un sens interdit. Mais apparemment, ce n'était pas ça. Giorgio et Michaele étaient encore en vie parce que maman ne poussa pas de cris, ni ne parla d'hôpital, ni d'enterrement.

Au contraire, elle dit :

— Oui, chez nous c'est Serena qui n'était pas désirée.

— Nous ne l'avions pas programmée, dit maman, mais vous savez, les maris. Nous sommes allés à la communion du petit Gesualdo ; Torres avait beaucoup bu, il m'est tombé dessus en rentrant, et avant que j'aie pu dire non, l'affaire était déjà faite. Un mois plus tard, j'étais enceinte.

Je n'étais pas sûre que tout soit clair dans mon esprit, mais une chose était certaine : toute la chaleur était tombée d'un coup. Je grelottais. Pour couronner le tout, alors que j'avais réussi à me traîner jusqu'à la chaise longue, je me mis à pleurer sans pouvoir m'arrêter. Naturellement, maman est sortie du salon et Serena est rentrée juste à ce moment-là de sa leçon de violon. Elles m'ont trouvée toutes les deux, et la signora d'Angelli derrière elles.

— Mon Dieu, a fait maman, Alba. La robe de mariage de ta grand-mère.

Je dois l'avouer, elle gisait à terre sur le carrelage, et pas dans un très bel état. Naturellement, c'est le moment qu'a choisi Serena pour intervenir.

— Laisse-la, maman. Tu vois bien qu'elle est triste.

— Va te laver, Alba. Et remets en place tout ce que tu as utilisé.

— La petite fait toujours du violon, a piaillé la signora d'Angelli.

— Oui, a dit maman. Si vous voulez, elle va vous jouer un petit quelque chose. Tu n'es pas trop fatiguée, ma chérie ?

— Non, a dit Serena. Mais il fait si chaud, maman. Je boirais bien une citronnade.

Elles sont rentrées toutes les trois dans le salon et ont refermé la porte derrière elles. Je suis allée dans la salle de bain. Le premier qui me dirait encore qu'il faisait chaud recevrait mes talons aiguilles dans les yeux. Je gelais. Après la douche, j'ai entendu le petit concert de Serena en rangeant la chambre de maman. Ensuite, je suis montée sur la terrasse.

D'habitude, la terrasse est un de mes endroits favoris. On respire, il y a les plantes du voisin du dessus, on voit le trafic de la Via Nazionale, la terrasse du café Nastro, et tous les balcons, vérandas et terrasses de notre rue à nous, jusqu'à la place du marché. Mais aujourd'hui, c'était différent. L'air s'était rétréci. Aujourd'hui, la cage était montée avec moi. Je n'avais pas réussi à m'en débarrasser en sortant de l'appartement.

J'ai arrosé les plantes, puis je me suis assise sur le petit banc, en regardant le ciel.

« Délivre-moi », j'ai pensé. « Délivre-moi. »

Ça commençait à aller mieux quand Serena est arrivée. Elle avait trois ans de moins que moi, mais la plupart du temps, à côté d'elle, j'avais la sensation d'être un nourrisson au berceau. A dix ans, Serena était raisonnable, polie, et efficace. Je savais que c'étaient de grandes qualités, mais je trouvais qu'on ne devrait pas forcer tout le monde à les avoir. Après tout, si j'étais à demi cinglée, si je ne pouvais pas me trouver sur la terrasse sans avoir envie d'être un oiseau et si j'aimais porter mes chaussures sans chaussettes, ça ne regardait que moi. Je pouvais m'épanouir là-dedans. Je pouvais rencontrer, par exemple, un type si avare qu'il soit enchanté de ne pas devoir m'acheter de bas.

— Comment vas-tu ? demanda Serena. J'ai joué Schubert à la signora d'Angelli. Ça lui a beaucoup plu. Je crois que j'ai bien joué.

Elle posa ses deux mains l'une sur l'autre à la rambarde de la terrasse, et son menton sur ses mains. Ses cheveux étaient blonds et bien peignés. Elle avait posé ses pieds en parallèle et ne regardait pas chez les voisins. Elle essayait simplement d'évaluer son succès. Elle se repassait le concert en tête note par note.

— Tu crois que papa et maman baisent beaucoup ensemble ?

Bon, d'accord, je n'avais pas résisté. C'était un très mauvais après-midi. Ma volonté était plus que sur une pente savonneuse, c'était carrément devenu un tremplin olympique. Mais après ce que j'avais appris, j'avais besoin de parler avec quelqu'un.

— Mettons que je n'ai rien entendu, dit Serena.

C'est le genre de réponse qui me va très loin.

— Comment, tu n'as rien entendu ? dis-je. Tu veux dire que je n'ai pas parlé ? Tu veux dire que ta sœur ne compte pas plus qu'un courant d'air ?

Serena examinait ses doigts. La moindre blessure pouvait leur être fatale.

— Je n'ai pas envie d'entendre ce genre de questions, dit-elle. Pose-m'en une autre, je répondrai.

— Laquelle de nous deux n'a pas été désirée ? j'ai crié. Laquelle de nous deux est née complètement par hasard, et ne devrait pas exister sur cette terre, si c'était papa et maman qui l'avaient décidé ?

Elle me regarda sans comprendre.

— C'est toi, j'ai hurlé.

Le tremplin filait, les arbres filaient, je ne pouvais plus m'arrêter.

— Je l'ai entendu cet après-midi. Ils ne t'ont pas désirée, tu comprends. Pas dé-si-rée, pas voulue, pas souhaitée, pas attendue. Tu es venue en trop, tu ne devrais même pas être en vie.

— Oui, dit Serena. Je crois que j'ai compris ce que tu essaies de me dire.

Elle s'assit sur le banc. Pour une fois, elle ne pensait pas à Schubert, elle ne comptait pas ses notes, elle ne lisait pas une partition, elle ne répétait pas un air. Elle prit une feuille de basilic et se mit à la mâcher sans rien dire. Elle avait l'air morte.

Je me suis assise par terre, et j'ai pris ses genoux dans mes bras.

— Serena ?

— Oui, dit-elle.

Son haleine sentait le basilic. Je me suis sentie si mal. J'avais l'impression que mon estomac avait pris la place de mon cerveau.

— Serena, j'ai dit, crie-moi dessus. Fais quelque chose.

Elle a cueilli une nouvelle feuille de basilic.

Ses yeux balayaient le vide. Je sentais ses genoux inertes contre ma poitrine.

— C'est bien ça, dit-elle. J'avais senti quelque chose. Est-ce que tu n'as pas parfois l'impression que je suis plus vieille que les autres filles de mon âge ? Je suis très vieille. A l'école, je ne parle à personne. Je n'ai que mon violon. Ça doit être ça. Je sentais quelque chose, mais j'étais incapable de préciser quoi.

— Serena, j'ai dit, fâche-toi, ça te fera du bien.

Elle se leva.

— Mais ça m'est égal, dit-elle. Je pense que papa et maman m'aiment autant que toi, maintenant que je suis née.

— Mais bien sûr, j'ai dit, bien sûr. Et moi aussi, je t'aime.

Le soir était tombé. C'était un de ces jours de chaleur, on ne voyait presque pas la différence quand le soleil était là ou pas. Je me suis remise à pleurer. J'avais honte, mais je ne pouvais pas faire autrement. Serena me regardait, lointaine. Elle dit :

— J'ai toujours su qu'il me manquait quelque chose pour bien jouer Schubert.

— Non, Serena, j'ai crié. Reste avec moi, reste encore un peu avec moi !

— Il faut avoir l'idée qu'on aurait pu ne pas exister, et faire sonner le violon comme si on appelait la vie, comme si on ne pouvait attraper la vie qu'avec les cordes du violon.

Elle se dirigea vers l'escalier. Elle souriait à blanc. J'étais seule. J'ai dépoté le basilic et j'ai frotté de la terre sur mon visage. Comme ça, peut-être que personne ne me reconnaîtrait.

— Je t'aime, Serena, j'ai murmuré. Et toi, est-ce que tu m'aimes ?

Les anguilles

Tous les dimanches, le lac se vidait de ses anguilles. C'est ce qu'on aurait pu croire. Les touristes arrivaient vers midi et garaient leurs voitures sur les bas-côtés de la route. Les terrasses étaient pleines. Il y avait des anguilles partout, sur les enseignes des restaurants, dans le fond des assiettes. Avec mon père, j'en vidais plus d'une centaine.

Le dimanche, le lac miroitait. Sa surface était lisse comme de la pierre. Les pêcheurs ne sortaient pas. Quelquefois, des vieux, dans l'après-midi, allaient réparer les filets dans le petit port. C'était une attraction de plus. Mais les barques se balançaient au bout de leurs filins ou restaient, gisantes, sur la plage.

C'était là qu'on se retrouvait, à côté des barques, au bout de la promenade. Guido, Beppo et moi, on était toujours les premiers. On attendait les autres, avec nos chemises blanches. Guido essayait d'aborder les filles. Beppo lançait des cailloux dans l'eau. Il chantait des trucs qu'on entendait un peu partout. Moi, je raclais les coques qui s'accrochent aux quilles des barques. Je m'arrêtais à l'arrivée de Luigi.

Luigi était plus élégant que nous. Il portait un pantalon de lin et une chemisette. Le dimanche, ses parents dressaient la table sous les pins et dînaient longtemps.

— Bonjour, disait-il.

Il s'asseyait sur le sable fin, face à l'île qui surgit au milieu du lac, et la regardait.

— Un jour, j'aurai une maison sur cette île. Loin, loin d'eux. J'étouffe, tu sais. Ce que j'étouffe, tu ne peux pas savoir.

C'était à moi qu'il parlait. Je me taisais. Quand Luigi parlait comme ça, il fallait laisser la pelote se dévider.

— Et vous, disait-il pour conclure, et vous, que deviendrez-vous, plus tard ?

Guido se retournait. Il fixait le sommet de la colline, par-delà le village.

— Un jour, j'aménagerai le fort. J'en ferai le plus beau restaurant de la région des lacs. Le Bellavista. Service exquis, décor raffiné, carte des vins interminable. Un vrai trois étoiles. J'aurai une Testarossa et toutes les femmes que je voudrai.

— Hey, chantonnait Beppo. Hey, je serai le pianiste du bar. Je chanterai le blues et on sera le seul restaurant à anguilles où on entendra la voix des Noirs.

Moi je les écoutais. Je rêvais à cette époque où nous serions différents. Nos gestes seraient plus libres. Nos corps seraient plus forts. Je saurais à quoi j'étais destiné. Face aux autres, je me sentais méduse. J'étais le seul à flotter ainsi, transparent, confondu avec le lac et son paysage. Je vidais les anguilles et j'étais heureux.

Ce dimanche-là, pourtant, quelque chose changea.

Beppo frappait des rythmes sur une proue et Guido envoyait des œillades aux filles qui déambulaient sur la promenade, par-dessus ses lunettes miroir. Je regardais le lac et ses rives, qui se dessinaient derrière le profil de Luigi, quand il se retourna brutalement :

— Et toi, Cesare ? Dis-nous ce que tu veux, pour plus tard. Ne fais pas l'innocent. On veut tous quelque chose.

— Tu sais bien que le bar sera à moi.

— Dis-moi ce que toi, tu voudrais.

Le bar m'appartiendrait à ma majorité. C'était ce qu'avait décidé mon père.

— Qu'est-ce que tu souhaites le plus au monde ? Qu'est-ce qui te donne un nœud dans l'estomac quand tu y penses ?

— Plus tard, je disais. Un jour...

Il me fixait, de ses yeux immobiles. Aujourd'hui, je ne m'en tirerais pas par une pirouette.

— Plus tard... je voudrais épouser Giuletta.

Luigi éclata de rire.

— Tu as rougi, Cesare.

— J'ai chaud, dis-je.

— Tu veux épouser Giuletta. Ça ne sera pas facile.

Il tira ses genoux vers lui et y posa la tête.

— Même avec la Testarossa, je ne suis pas sûr d'avoir Giuletta, soupira Guido.

Il arrêta son manège sur la promenade et vint s'asseoir près de nous.

— Elle aime la musique, dit Beppo, mais elle ne m'aimera jamais. C'est écrit. Cesare oui, elle pourrait l'aimer, si elle n'était pas folle de ce salaud de Brindini. Vous ne trouvez pas que Cesare a quelque chose de Brindini ?

— Cesare ne ressemble à personne, fit Luigi. Il est unique. Foutez-lui la paix. C'est le seul d'entre nous qui pense que pour réussir sa vie, il faut trouver l'amour.

Il se tourna vers moi, grave.

— Tu vas souffrir, Cesare. Tu vas faire peur. C'est rare quelqu'un comme toi. Quelqu'un qui veut aimer comme toi, ça fait peur.

J'étais encore rouge de mon aveu. J'avais honte. J'avais toujours honte de dire ce que je voulais.

— Merde, je t'aime aussi, dis-je. Tu es mon ami.

Luigi sourit, tout à coup. Ses dents blanches étincelaient.

— Parfois, tu me fais peur.

Il s'allongea sur le sable en fermant les yeux. J'avais mal car dans ces moments-là, il me devenait étranger. J'avais l'impression qu'il pouvait nous quitter d'une minute à l'autre et ne jamais revenir.

— Faut pas blaguer, dit Guido. On veut tous la Giuletta. C'est peut-être Cesare qui y pense le plus, mais c'est pas pour ça qu'il va y arriver.

— Vous n'êtes que des cons, trancha Luigi. Occupe-toi de ton fort, Guido. Ne touche pas aux femmes. Tu les méprises. Dès qu'elles apparaissent, tu pèses le plaisir qu'elles peuvent te donner. Rien d'autre. Jamais rien d'autre. Je ne t'ai jamais vu parler à une femme.

Il s'arrêta net.

A moi, il disait que Guido irait au bordel. Il disait que Guido se marierait pour de l'argent ou une situation, qu'il ferait l'amour à sa femme juste pour les enfants et que pour le reste, il irait au bordel. Il disait que Guido aimait les filles faciles, qu'il allait toujours de lui-même vers la plus vulgaire, vers celle qui se laissait faire dès qu'on lui disait qu'elle avait de beaux seins.

— Comment tu le sais ? je disais. Comment tu peux savoir tout ça ?

Il se mettait à courir à toute vitesse sur la plage et faisait trois roues d'affilée.

— J'écoute le vent ! J'écoute le sable !

— Si tu sais tout, qu'est-ce qui nous arrivera plus tard ? A nous, Luigi, toi et moi, que va-t-il nous arriver ?

— Où est ton bar, Cesare, disait-il. Où est le bar ?

— Au bord de la route d'Anatra. Un peu en retrait du village, près de la plus belle anse.

— Qu'y-a-t-il entre le bar et la route ?

— La terrasse. Et en hiver, des chaises empilées.

— Est-ce que tu es colérique, Cesare ? demandait-il.

— Oui, mais je ne suis pas rancunier.

Il se penchait vers moi.

— Quand on arrive où j'habite, Cesare, la première chose qu'on voit, c'est la haie. Une rangée d'ifs parfaite. A travers, on ne distingue rien, sauf si on s'approche. Et quand on s'approche, si on se met à regarder à travers les ifs, on voit une longue allée, une pelouse, des massifs. Celui qui suivrait l'allée et voudrait regarder à l'intérieur de la maison ne le pourrait pas, à cause des parterres. Et moi, si l'on veut regarder à travers moi, on doit traverser tous les usages et les traditions qui m'ont été transmis par mon père, et par son père à lui. Je ne suis pas colérique, comme toi, ou alors je sais comment et pour combien de temps je m'emporte. La femme que je vais épouser, je la vois, Cesare. Elle ressemble aux ifs et à la grande pelouse. Je vois sa raquette de tennis dans le hall d'entrée de la maison. Je la vois la prendre, et me faire signe de la main. Je ne pourrai pas me tromper, Cesare. Je connais à fond le calme qu'elle m'apportera. Je l'aimerai toute ma vie, parce que je la révérerai. Je serai heureux à ma manière, je le sais.

Il me prenait par les épaules.

— Mais ce ne sera pas l'aventure, Cesare. Et l'amour doit être une aventure. Je le sais, mais je suis peureux. Toi… disait-il. Toi, vis l'aventure pour nous. Tu en es capable.

Il était triste alors. Ses yeux se voilaient.

— Il ne va rien nous arriver de pire ou de meilleur

qu'aux autres, Cesare. Mais il faut essayer de rester unique, il le faut à tout prix.

Tout ça me revenait en tête, ce dimanche-là, tout ce qu'il me disait souvent, et qui ne pénétrait en moi que bribe par bribe.

Je voulais lui poser une question quand Domenico Barbera déboucha de la grand-rue et se mit à courir vers nous en tenant ses lunettes, pour qu'elles ne tombent pas. Domenico était le fils de la boulangère. Il avait tellement de frères et de sœurs qu'il ne venait presque jamais nous rejoindre. Il était si myope qu'il ne pouvait pas partager nos jeux, la plupart du temps, et peut-être que ça l'ennuyait aussi.

Il s'arrêta pile et reprit son souffle.

— La Giuletta. Elle a disparu.

— C'est quoi : « disparu » ? dit Guido. Le Brindini est revenu, et cette fois, il l'a enlevée.

— Non.

Domenico gigotait dans tous les sens. Il voulait dire trop de choses à la fois.

— La mère de Giuletta, elle a dit à ma mère que le Brindini, on ne le reverrait plus. Il s'est engagé à l'armée.

— C'est sérieux.

Luigi se releva et frotta le bas de son pantalon.

— Si la mère de Giuletta dit ça aujourd'hui, c'est qu'elle a une raison. Ça fait combien, six mois qu'il est parti, Brindini ?

— Travailler dans une briqueterie, jura Guido. Tu parles. Ça fait six mois que la Giuletta est libre. C'était ça la tête qu'elle tirait. Elle disait qu'il reviendrait, mais elle savait que non.

— Tais-toi, j'ai dit. Hier une chose était vraie, aujourd'hui une autre. Si ça tombe, il revient demain, Brindini.

— T'as juste peur parce que t'es encore trop jeune pour tenter ta chance, ricana Guido.

— Messieurs, dit Luigi. Ça n'intéresse personne de savoir ce qui est arrivé à Giuletta Salvi ?

Nous nous sommes tus. On s'est tous tournés vers Domenico, pas trop ostensiblement.

— Il y a deux nuits, il a dit, la mère de Giuletta s'est levée parce que sa jambe lui faisait mal. C'était trois, quatre heures. Elle est passée devant la chambre de Giuletta. Il y avait une petite lumière mais Giuletta n'était pas là. La mère a fait le tour de la maison, puis du quartier. Rien. La Giuletta avait pris des trucs, des couvertures, sa trousse de toilette. C'était comme pour partir en voyage, sauf qu'elle avait laissé ses vêtements de rechange. D'abord la mère a cru qu'elle était partie chercher le Brindini, là-haut, parce qu'y paraît qu'il serait au nord. Mais sans vêtements de rechange, c'était pas pensable. Elle avait vu une petite mallette que la Giuletta cachait sous son lit, depuis la Pâques. La mallette était plus là. Alors elle a attendu toute la journée d'hier, puis encore cette nuit, et ce matin. Elle est venue chez ma mère aujourd'hui, pour le café. La Giuletta a disparu, c'est sûr.

Il prit une grande inspiration.

— J'ai dit qu'on allait la retrouver.

— Pour qu'elle s'en aille dans les bras d'un autre. Non merci, dit Guido.

— De toute façon, ils ne comptent pas sur nous, sourit Luigi. Il dit ça comme ça.

Domenico frappa du poing sur une barque. On l'a regardé. Dans la cour de récréation des petits, quand il y était, le bruit courait qu'il jouait à la poupée avec ses sœurs.

— La mère de Giuletta, elle veut rien demander aux carabinieri, dit-il. Et ça fait déjà deux jours qu'on est sans nouvelles.

Luigi haussa les épaules.

— Elle ira chez les flics demain, Maria. Ta mère va la convaincre. Elle est fabuleuse pour ça, ta mère.

Domenico nous tourna le dos. Il était vraiment comme ça, peut-être parce qu'il voyait si mal. Il essayait d'aller vers une personne, pendant une minute ou deux il essayait vraiment, puis il abandonnait. On pouvait continuer à lui parler, il ne répondait plus. On aurait dit qu'il avait aussi des lunettes à l'intérieur de la tête, à force, et qu'il les enlevait au bout d'un temps.

— Les myopes ont de la chance, pour eux le monde est plus beau, disait-il toujours.

Domenico Barbera. Il conservait ses lunettes pour s'asseoir au bord de l'eau. Il mouillait ses sandales. Est-ce qu'il le sentait ? On aurait dit que non.

— Domenico va devenir très intelligent, ou alors fou, disait Luigi. Ça dépend.

— De quoi, grognait Guido. Ce con se goure quand il rend la monnaie. Sa mère se lève à deux heures du matin pour allumer les fours, et lui, il rend des dix à la place des cinq. Si encore il se trompait pour lui. On s'en foutrait, non ? Huit mômes. Tu ne la lui réclamerais pas, ta monnaie.

— Tu ne la lui rends pas non plus quand tu t'aperçois de la différence, répondait Luigi. Tu vas au tabac et tu t'achètes une cigarette.

— Comment tu sais ça ? hurlait Guido. Tu espionnes, Corana ? T'as que ça à faire ? J'en ai marre de ta gueule. Je vais te la péter, Corana.

— Je ne sais pas me battre, disait Luigi. La violence me répugne. Deux personnes intelligentes devraient pouvoir s'expliquer intelligemment.

Ce dimanche-là, personne ne parla mal de Domenico. Il s'assit près de nous et se mit à trier ce qu'il avait dans ses poches.

Nous restâmes à demi allongés sous l'ombre des pins. L'eau du lac paraissait blanche sous le soleil.

Pour une fois, je vivais le moment présent. Aujourd'hui était aujourd'hui et Giuletta avait disparu. Où était-elle ? Giuletta ne pouvait pas quitter le lac. Elle en était la beauté. Est-ce qu'une main parfaite quitte la statue à laquelle elle appartient ? Je regardais Giuletta depuis que je pouvais marcher. Elle était belle ici, et ne le serait pas ailleurs. Elle le savait. C'étaient nos regards, tous nos regards superposés qui avaient fait la beauté de Giuletta. Tous les désirs des hommes, toutes les curiosités des femmes.

Je l'aimais depuis que je pouvais la suivre à travers les rues, si petit qu'elle ne me voyait même pas. Personne ne me croyait, personne ne croyait qu'on pouvait aimer depuis si petit. Ça m'était égal. Mon sentiment existait, et je ne demandais rien.

Giuletta était insouciante et moi, non. Je prévoyais ses humeurs, jusqu'au départ de Brindini. Après, Giuletta s'était fermée. Pour les autres, peut-être, la différence n'était pas grande, mais à moi, elle me brisait le cœur. L'insouciance de Giuletta s'était envolée pour toujours, et mon enfance avec elle. « Je vais m'occuper de toi », je pensais.

Mais je ne pouvais rien faire, sinon le clown, pour la distraire de sa tristesse.

Où était-elle ? J'avais envie de vomir. La chaleur m'incommodait. Des idées horribles essayaient d'entrer. Giuletta ne pouvait pas nous quitter, disparaître pour toujours sans nous dire adieu, c'était impossible.

Luigi me secoua.

— On va bouger, dit-il. On ne va pas rester là, vautrés comme des porcs. Lève-toi.

— Pas aujourd'hui.

Je repliai mon bras sur mon visage. Il enserra mon poignet et m'obligea à regarder la lumière.

— On va aller jusqu'au fort. Tu vas nous montrer le chemin, il n'y a que toi qui le connaisses.

— Pas aujourd'hui.

— Tu es un lâche.

Je soupirai. Giuletta, Luigi. Ils étaient comme traversés par des vents qu'ils devaient suivre pour être eux-mêmes. Ces vents les portaient vers vous, puis plus, puis soufflaient à vous faire craquer, changeaient de direction, les éloignaient, les rapportaient.

— Tu ne veux pas m'accompagner au fort ? demanda-t-il, presque menaçant.

Guido se leva.

— Dites-le, si on vous dérange.

— Allons-y tous, fit Luigi.

Il se mit en route d'un pas leste. Nous le suivîmes.

Le fort nous était familier. Il dominait Anguillara, on le voyait sur toutes les cartes postales. Mais on n'y montait qu'en de rares occasions. Les vieux racontaient que dans les sous-sols, il y avait des caves aménagées qui communiquaient entre elles, là où ils cachaient des partisans, pendant la guerre. Les vieux racontaient qu'un peu avant la fin, les chemises noires étaient venues, qu'ils avaient fusillé les partisans, dynamité la route, et que, depuis, le fort était maudit.

Est-ce qu'on y croyait ? C'était difficile à dire. Pour nous, le fort était d'une autre époque. Il fallait, pour l'atteindre, franchir un barbelé au pied de la colline. Je l'avais fait deux fois, avec Beppo, la nuit. A chaque tentative, j'avais eu peur de ne pas retrouver le village pareil. J'avais été soulagé, en me glissant dans ma chambre, d'entendre à côté la voix de mon père, si sonore.

Ce dimanche-là, je franchis les barbelés en plein jour. Les autres riaient. Nous commençâmes à grimper. Luigi m'arrêta au bout de dix minutes. La pente était si raide qu'on voyait déjà le village comme une maquette. Les rues, les arrière-cours, les hommes et les femmes assis sur leurs chaises, devant les maisons. Quelqu'un avait sorti une cage à oiseau, derrière le musée, et la cage brillait.

— Où est Giuletta ? me demanda Luigi.

— Je n'en sais rien.

— Tu n'as pas une idée ?

Je bourrai mes poches avec mes poings. Je faisais le gros dos. Non, je n'avais pas la moindre idée d'où pouvait être Giuletta Salvi.

— Quand on aime, on devine, dit-il.

Guido nous entendait.

— La Giuletta.

Il désigna le village.

— Qui nous dit qu'elle n'a pas couché avec la moitié ?

— Ce n'est pas parce qu'elle plaît qu'elle couche, dit Luigi.

— Tu résisterais, Corana ? Si la moitié des filles d'ici t'appelait quand tu passes ?

— Qui te dit que ce n'est pas le cas ? fit Luigi.

Il souriait. Il s'approcha de Guido et fit le salut militaire.

— Signore Baldini ! cria-t-il. Fasciste ou partisan ? Choisissez. Vite !

Beppo se leva de derrière un rocher. Il brandissait une mitraillette invisible.

— Partisan, hurla-t-il. Taratatatata.

Il disparut.

— Nous ne sommes pas touchés ! cria Luigi.

— Fasciste, dit Guido.

— Fasciste, dit Luigi.

— Partisan, criai-je.

Et je me mis à courir parce qu'ils me lançaient des pierres. Je tombai sur Domenico qui marchait lentement vers le sommet. Il était en sueur.

— Fasciste ou partisan ?

— Communiste, dit-il.

— Alors, rampe, fis-je. Parce que tout le monde va te tirer dessus.

Nous courûmes vers le sommet de la colline, en désordre. Le fort se rapprochait. Il était imposant. Je fis un crochet, pour éviter Guido, qui me poursuivait avec une motte de terre. Je sentis le sol s'effriter. J'étais tombé dans une espèce de grotte. Le calme me revint d'un seul coup. A quoi avions-nous joué ? Et si les âmes des partisans rôdaient ? Personne ne les avait enterrés. Il n'y avait pas de tombes sur cette colline.

J'entendais les rires des autres, blotti contre la terre tiède, envahi par l'odeur tenace des racines.

« Je pourrais ne pas sortir d'ici », pensai-je. « Est-ce qu'ils s'inquiéteraient ? Est-ce qu'ils me chercheraient ? »

Je me souvenais que Beppo était arrivé chez nous en pleurant, une fin d'après-midi. Il s'était caché dans le grenier, chez lui, depuis le matin, et personne n'avait remarqué son absence. Ma mère ne l'avait pas plaint. Elle l'avait traité de stupide. Je comprenais ma mère, pour qui chaque minute était précieuse, et qui n'aurait pas supporté de me chercher pour rien. Mais je trouvais l'angoisse de Beppo inquiétante. Quelque chose l'avait poussé à monter au grenier et à se cacher. Quoi ? Je pensais que ça avait à voir avec cette façon qu'avait Beppo, dès qu'il arrivait quelque part, de frapper sur des objets ou de faire le singe, pour qu'on le remarque. Mais je n'avais jamais réussi à le lui faire dire.

Blotti dans ma cachette, je revoyais cette scène très nettement. Ma mère assise à table, Beppo qui pleurait, et moi. Je me voyais aussi, ce qui fait que je ne sursautai pas en entendant un cri qui semblait provenir de la terre qui m'entourait. Mon esprit était loin du fort. Mais le cri s'amplifia. La transpiration qui me couvrait se crispa en voile glacé. Je sortis de la grotte à toute allure. Les autres étaient debout, pas loin.

— Où étais-tu ? dit Luigi. Tout le monde joue à disparaître ?

Il avait l'air de mauvaise humeur.

— La course est finie ?

Ils me foudroyèrent du regard. D'où nous étions, le village se découpait sur le ciel comme un petit théâtre. La cage n'était plus qu'un minuscule point argenté.

— Bon, qu'est-ce qu'on fait ? On descend ?

Personne ne me répondit. Luigi se mangeait les ongles, Guido émiettait une motte, et Beppo sifflait de l'air entre ses dents.

J'allais me fâcher quand le cri revint. Un cri rauque, d'animal. Je n'avais pas rêvé. On aurait dit qu'il venait de la terre, de là où je m'étais caché.

Luigi me regarda avec surprise, presque avec soulagement.

— Ce n'est pas toi ?

— Moi quoi ?

Guido lâcha sa motte.

— On a cru que c'était toi qui avais crié, Cesare. Pour nous faire peur.

— C'est une raison pour me tirer la tête ?

— Ça a plutôt bien marché, dit Beppo. J'ai encore la chair de poule.

Une pierre se détacha de la roche, près de nous, et roula jusqu'au bas de la colline. Nous entendîmes un souffle qui se rapprochait.

Le soleil brillait-il autant qu'en plein midi ? J'avais la sensation que mes yeux se remplissaient d'ombre. Peut-être que le fort était réellement maudit. Peut-être qu'il y avait un partisan caché à quelques mètres de nous, qui perdait son sang.

Le souffle s'accentua. Domenico apparut. Tout le monde l'avait oublié. Domenico était celui, je pensais, qui passerait sa vie dans un grenier. Celui qu'on oublierait toujours ? J'en avais pitié. Lui s'en foutait. Il nous regardait, agacé.

— Il se passe quelque chose au fort. J'ai entendu crier.

— C'est peut-être un fantôme, chantonna Beppo.

— Les fantômes ne crient pas.

Domenico nous poussait du regard. Il nous accusait.

— Qu'est-ce qui se passe, Domenico ? j'ai dit.

— Vous entendez quelqu'un crier et vous ne bougez pas ? Moi j'ai essayé d'aller voir, mais je suis tombé sur un deuxième barbelé. Tout seul, j'y arrive pas.

— Montre-nous le chemin, dit Luigi.

Le cri revint. Du lac, on n'entendait plus qu'un ou deux moteurs de voiture. De la colline, quelque cigales. Et du fort, le cri, à intervalles réguliers.

Nous grimpâmes en file indienne. Domenico avait trouvé une sorte de passage, entre les branches des arbres morts. Haut sur la colline, il y avait peut-être eu un jardin. Plus bas, on n'avait rencontré que des cailloux.

— Chut, dit Guido.

Le cri rampa vers nous. A chaque fois qu'on bougeait, il semblait nous suivre et jaillir de tout près, d'un buisson, d'un terrier. J'avais peur. Luigi me prit le bras et serra. Je sentis ses ongles qui s'enfonçaient dans mes muscles.

— Merde, dit Guido. C'est peut-être un peu trop pour nous ?

Domenico enleva ses lunettes. Ses yeux apparurent, très grands.

— J'entends crier. C'est un homme ou une bête. Il a mal. Vous êtes sourds ou quoi ?

— On n'est pas sourds, dit Guido. Mais on ne sait pas ce que c'est.

Domenico remit ses lunettes.

— Il souffre, dit-il. On a intérêt à se dépêcher.

Des branches. Des murets écroulés. De petits bancs de pierre. On contournait, on enjambait, on sautait. Ça n'en finissait pas. Le cri reprenait, comme une malédiction. Maintenant, si je me retournais, je ne voyais plus le lac en contrebas. Plus rien que des pierres et de la mousse.

— Mais qu'est-ce que c'est ? dit Luigi. On dirait qu'en dynamitant la route, ils ont fait remonter un jardin.

Domenico s'arrêta pile. Il avait raison, il y avait une seconde rangée de barbelés. Ils étaient serrés, et moins rouillés que ceux d'en bas.

— On ne va pas pouvoir passer, dit Guido. Ils sont trop épais.

Beppo tendit l'oreille.

— Le cri. C'est déjà plus la même chose.

— On n'a qu'à longer les barbelés. On trouvera une ouverture, dit Luigi.

Les parois du fort étaient bien plus hautes quand on se trouvait à leurs pieds. Il restait encore un fossé, par endroits. Des pierres s'étaient détachées des murailles et formaient des pièges au sol. Beppo marchait devant. Il se pencha et ramassa quelque chose. C'était lourd. Il le tenait en main avec peine. Guido le lui prit. Il le brandit par-dessus sa tête, pour que nous puissions voir.

— Une grenade. Je la prends. On ne sait pas ce qui peut arriver.

L'explication de Guido se répercuta sur les murs du fort. Nous sursautâmes. Il disparut. En arrivant à l'endroit où nous l'avions perdu, nous découvrîmes une brèche dans les barbelés. Il avait tracé une flèche au sol avec les branches de ses lunettes, qui s'étaient cassées. Des débris de miroirs formaient une trace, sous les ronces.

— Comme c'est drôle, fit Luigi.

Nous nous glissâmes dans l'ouverture par laquelle Guido était passé de l'autre côté. C'était un passage étroit. J'entendis ma chemise craquer. Je n'avais jamais été aussi loin vers le fort.

« Maintenant », ai-je pensé, « ça devient vraiment diffi-cile de revenir rapidement en arrière. Si quelqu'un nous poursuit, on est fichus. On ne pourra pas repasser tous en même temps par la brèche. »

J'examinai ma chemise. Elle était déchirée à l'épaule droite. Ma mère serait furieuse. Je me redressai. D'un seul coup, je me trouvai près de Luigi devant un portail, un grand portail de pierre surmonté d'un blason.

— J'ai envie que ça finisse, dit-il. Où sont les autres ?

— A l'intérieur. Allons-y.

Je voulais lui montrer mon courage. J'avançai en sau-tant par-dessus les pierres, alors que j'aurais tout donné pour être dans l'eau fraîche du lac, loin de ces murs.

Nous entrâmes. Le portail était dégagé, mais derrière, il y avait encore des arbres et des remparts en ruine. S'il fallait retrouver un homme ou un animal, ça n'allait pas être facile.

— Aaaah, fit quelqu'un.

Une silhouette surgit, recroquevillée, avec quelque chose de luisant sur la tête.

— Bienvenue, fit Beppo.

Il souleva la boîte de conserve dont il s'était coiffé.

— Mesdames et messieurs, bienvenue au Bellavista. Dé-sirez-vous une table près de la fenêtre ? Près du bar ? Près du piano ?

Il riait sans pouvoir s'arrêter. Il courait dans tous les sens. Impossible de savoir d'où il allait surgir la minute d'après.

— Aujourd'hui, le maître d'hôtel vous recommande le pavé de turbot et le soufflé aux fraises. Guido Baldini, no-tre chef, viendra vous saluer en personne tout à l'heure. En attendant, passez une excellente soirée. N'oubliez pas que notre sommelier a été formé en terre de France, *en Cham-pagne*. Si vous désirez commander votre chanson préférée, n'hésitez pas. Je vous laisse en compagnie de notre pianiste maison, Beppo Baldini, et de sa charmante chanteuse...

Le cri s'éleva, terriblement proche. Guido, qui avait réapparu, lâcha sa grenade.

— ... la divine Giuletta, souffla Beppo.

— Imbécile, dit Luigi.

On ne savait pas auquel des deux il parlait.

Nous attendîmes, les yeux fixés sur la grenade.

Rien ne se passa. Domenico nous appela. Il s'était hissé près d'une masse, au milieu de la cour. Un puits. Quelqu'un avait fabriqué un seau à l'aide d'une vieille chambre à air de voiture et avait attaché ce seau à une corde. Quelqu'un qui avait puisé de l'eau récemment.

— Un être humain, dit Guido.

Le cri raclait des parois de chair. On parlait d'un homme, mais on avait tous pensé à un animal, j'en étais sûr. On disait un homme pour avoir moins peur, parce que le cri ne ressemblait à rien. On pouvait former les images les plus effrayantes, il y correspondait toujours.

Domenico enleva ses lunettes pour la seconde fois de la journée. Il était le seul à garder son calme. Il écouta.

Luigi me regardait comme s'il me demandait de l'amener loin. Guido soupesait une pierre. Beppo allait et venait, comme pris dans un cercle invisible. J'allais lui dire de s'arrêter, mais Domenico me prit par la manche. Il partit brutalement dans une direction déterminée. Il me tenait sans lâcher. Je perdis les autres de vue.

— On va y arriver, chuchota-t-il. On y est bientôt.

Je traversai une moitié de la cour derrière lui. Il s'arrêta devant une arche ronde.

— C'est là.

Il me souriait. On entendait quelqu'un respirer. Il me poussa. Les autres arrivèrent alors que j'hésitais. J'entrai. Je les sentis derrière moi.

Nous étions dans un endroit rectangulaire, une sorte de cave à vin, avec un plafond voûté. Au fond, il y avait un tas de vêtements. Après quelques secondes, je décelai une personne, couchée dans une position bizarre. Je ne voyais presque rien. Il n'y avait pas assez de lumière.

Luigi s'avança. Il regarda. Le cri retentit à nouveau. La personne était à moitié déshabillée.

— Luigi, dit une voix.

Luigi recula. Il me tira au dehors. Domenico nous accompagnait. Je me débattis.

— Je veux y aller, dis-je.

— Reste ici, fit Luigi.

— Je veux y aller !

Je hurlais, presque. Domenico me scrutait.

— Est-ce qu'il a compris ? demanda-t-il à Luigi.

— C'est Giuletta, j'ai dit. Giuletta !

— Est-ce que tu as compris ?

— On s'en va, dit Luigi. On va chercher un médecin.

Domenico secoua la tête.

— Il arrivera trop tard. Je sais comment c'est, j'ai vu ma mère le faire quatre fois. Il faut qu'on l'aide maintenant.

Guido et Beppo ressortirent.

— Ce salaud de Brindini.

Guido cracha par terre.

— S'il revient, je lui fais la peau.

Il vint se planter devant moi.

— Ce putain de salaud l'a engrossée, grimaça-t-il. Regarde-moi ce merdier.

Beppo était pâle.

— Qu'est-ce qu'on fait ? dit-il. Je ne veux pas rester comme ça maintenant que je sais que c'est elle qui crie.

— Il faut de l'eau chaude, dit Domenico.

Guido se frotta le menton.

— On va faire ça nous-mêmes ?

— Il n'en est pas question, fit Luigi. On va redescendre chercher un médecin.

Je lui arrachai ma chemise. Il me lâcha enfin.

— C'est trop tard. Domenico te l'a dit. C'est trop tard, on doit l'aider, nous. Qu'est-ce que je fais ?

Domenico se tourna vers moi.

— Il faut que quelqu'un lui tienne la main, dit-il. Il faut qu'elle puisse serrer une main aussi fort qu'elle veut. Il faut que quelqu'un lui parle. T'imagines qu'elle est venue ici toute seule... Retourne voir si elle a des linges, il dit. Guido et Beppo feront chauffer de l'eau.

— Je ne sais pas si c'est une bonne idée, dit Guido. Tu es sûr que tu pourras l'aider ?

— Je l'ai vu ma mère le faire quatre fois.

— Putain, cria Luigi. Si elle est assez conne pour accoucher ici, c'est son problème. Nous, on ne va pas s'en mêler. Imagine que ça se passe mal ? Imagine qu'on fasse quelque chose de travers ? Il faut qu'on redescende le plus vite possible, et qu'on aille chercher un médecin. On ne peut rien faire pour l'aider. On n'en est pas capables.

— Qu'est-ce qui te prend ? j'ai dit. Tu vas l'abandonner ?

— Mais tu ne peux pas rentrer là-dedans, hurla-t-il. Tu as vu ce que c'est ? Qu'est-ce que c'est ? On dirait un animal. On a tous cru que c'était un animal qui criait. On ne va pas regarder ça ? On ne peut pas l'aider. Tu ne peux pas l'aider !

Il y eut un silence. Même Giuletta se taisait, là, à l'intérieur. Nous le regardions tous.

Guido prit Luigi aux épaules. Il le poussa, rudement.

— Va chercher un médecin, Corana. Tu me dégoûtes. Fous le camp, dégage.

Luigi revint vers moi.

— Ne rentre pas, Cesare. C'est la femme que tu aimes. Ne rentre pas là-dedans.

— Justement, dis-je. Je l'aime. Elle a besoin de moi. Qu'est-ce qui te prend ?

— Mais tu ne pourras plus... Il faut qu'elle reste belle, Cesare...

— Elle EST belle, dis-je.

— Tu n'es pas entré assez loin.

Il me suppliait, presque. Guido et Beppo s'éloignèrent. Domenico rentra.

— Depuis le temps que je la suis... pour moi, elle est toujours belle, dis-je. J'en suis sûr, maintenant.

Je pris Luigi à la nuque.

— Qu'est-ce qui te prend ?

— Je ne supporte pas, gémit-il.

Il se mit à sangloter.

— Il faut qu'elles restent belles, Cesare. Cesare, il faut qu'elles restent belles.

Il pleurait, vautré par terre.

Je suis entré. J'ai attendu. L'ombre est devenue plus lumineuse, au bout d'un moment.

Dans un coin, j'ai trouvé la petite valise que Maria, la mère de Giuletta, avait vue sous son lit. Dedans, il y avait des mouchoirs, des serviettes, du linge. J'ai pris un mouchoir. Domenico a rapporté de l'eau. Je comprenais pourquoi je n'avais rien vu en entrant la première fois : Giuletta avait les jambes écartées, les genoux vers le haut. J'ai mouillé le mouchoir, et je l'ai passé sur son front. Elle criait, alors j'ai passé le mouchoir autour de ma main, et je lui ai donné à mordre. Je n'avais plus peur parce que j'étais proche. J'aurais voulu qu'elle cesse d'avoir peur, elle aussi.

— Giuletta, j'ai dit. Il y a quelqu'un près de toi.

Milan

— AUJOURD'HUI, c'est pas la saison, j'ai dit.

C'était un peu bizarre de dire ça. J'étais seule. Les mots résonnaient contre les murs.

— Milan, j'ai dit. C'est Milan.

J'ai regardé mon lit. Il était fait. Je crois toujours que j'oublie, puis non. Quand je me retourne, il est fait.

— Bonjour !

J'ai salué Anatoli et Gianmarco.

Nous habitons un immeuble en retrait du boulevard. En face, il y a un bout de vue, un peu de ciel. Sur la gauche, c'est la façade arrière du bar Peroni, et au-dessus, une dizaine d'appartements plus gris et plus petits que le nôtre. Anatoli et Gianmarco travaillent sur le toit d'à côté. Ils réparent les gouttières. Angelo Battista, le propriétaire du bar Peroni, ne veut plus voir des torrents d'eau dégouliner sur ses bacs de bière.

Angelo Battista a un projet. Il l'a confié à maman. Il voudrait installer une terrasse, dans sa cour arrière, pour l'été. « Une terrasse classique, avec des parasols. Cela vous dérangerait, signora Farnese ? » Angelo Battista est très gros, il soupire beaucoup, et pour installer sa terrasse, il a besoin de l'autorisation de tous les habitants de notre immeuble, de la Residenza Dante.

Maman a répondu qu'elle demanderait mon avis. Elle n'est jamais là, et c'est ma chambre qui donne sur l'arrière du bar Peroni, ma chambre et la fenêtre de la salle de bain.

Le jour suivant, je suis passée au bar avant de partir pour l'école. « Signore Battista », ai-je dit, « je vis seule avec mon frère. J'écris l'histoire de ma vie dans un carnet chinois. La terrasse me plaira sûrement, quand les gens boivent, ils font toujours des histoires ; mais qu'est-ce qui se passera s'ils font trop de bruit, et que je ne puisse plus ni dormir, ni lire, ni écrire ? »

Angelo Battista m'a servi un jus d'abricot, et quand le car est arrivé, il m'a glissé une tablette de gommes à la réglisse dans la main. J'ai pensé que je n'avais pas le choix. Ou il ne m'avait pas prise au sérieux ou il essayait de m'acheter.

Dans le car, j'avais tout noté dans mon carnet chinois. Dans le car, je ne parle jamais aux autres. J'apprends par cœur le nom des arrêts. Je vérifie la propreté de mes chaussures. Je tiens des paris avec moi-même. Il faut pouvoir s'amuser seule. C'est ce que maman dit toujours. Les gens qui cultivent leur richesse intérieure ne s'ennuient jamais.

Aujourd'hui, peut-être qu'il y a des fuites dans ma richesse intérieure. Il ne se passe rien d'intéressant. Les appartements gris sont vides. Derrière l'enseigne Peroni, Anatoli et Gianmarco enfilent leurs cirés. Il pleut. Il pleut beaucoup à Milan.

— J'aimerais te faire plaisir, dis-je. Qu'est-ce qui pourrait te faire plaisir ?

Mes deux poissons rouges tournent dans leur bocal. Texas et Lola. Texas a une longue queue. Il est très actif. Lola est plus ronde. Elle se regarde dans la paroi de l'aquarium, et elle souffle des bulles. Ils sont heureux, la plupart du temps. Quand il boude, Texas va se poser au fond, sur les cailloux. Dès que je leur donne à manger, Lola remonte à la surface, et elle se démène.

Avant, à Costanza, nous avions Napoléon Bonaparte. Il était doré, avec des rayures noires. Un jour, nous l'avons retrouvé le ventre à l'air, Ricardo et moi. Il avait décidé de dormir sur le dos. « C'est mauvais pour lui », disait maman. J'ai parlé à Napoléon Bonaparte, mais il n'a rien voulu entendre. Il a dormi le ventre à l'air pendant trois mois. Il en est mort. Nous l'avons enterré sous le basilic de la cuisine.

Maman est partie. J'entends la porte claquer. Si je compte jusqu'à quatre-vingt-six, elle sortira de l'immeuble comme par magie. Je la verrai du dessus. Elle ouvrira son parapluie, et elle partira d'un pas sautillant.

— J'aimerais te faire plaisir, dis-je. Qu'est-ce qui pourrait te faire plaisir ?

La voiture qui vient chercher maman se range au fond de l'allée, sur le boulevard. C'est une grosse voiture noire, qui ne fait pas de bruit. Un mercredi, on se promenait avec maman, elle est venue derrière nous, j'ai sursauté. Ricardo ne l'avait pas entendue non plus.

J'ai rangé la partie ouest de ma chambre. Maman aime que tout soit ordonné.

— Texas, j'ai dit. Arrête de tourner comme ça, tu me donnes le vertige.

Un coup a fait trembler l'appartement. Le sang m'est monté à la tête. Où était Ricardo ? Je suis sortie de la chaleur de ma chambre pour me glisser jusqu'à la sienne. Ricardo écoutait de la musique, allongé sur son lit. Il avait l'air défoncé. J'ai cru qu'il m'avait vue, et je me suis cachée. Rien ne s'est passé, alors je suis rentrée dans ma chambre, et j'ai fermé la porte derrière moi.

— Texas, j'ai dit. Est-ce que tu as embrassé Lola ce matin ?

Il m'a regardée. Il agitait sa queue et ses nageoires si transparentes. J'ai suivi son ballet, attentive. Il est beau, Texas. C'est le plus beau poisson rouge de la chrétienté.

— Je ne t'abandonnerai jamais, Texas, j'ai dit.

C'était un cadeau. Moi, avant que je dise une chose pareille. Texas a plongé vers les cailloux et remonté en ondulant des nageoires. Il avait compris. Lola raclait les algues mystères. J'ai posé un gros baiser sur la vitre de l'aquarium, juste devant elle.

— Lola, j'ai dit, si tu te décides à bouger, je t'apprendrai le twist.

J'ai versé des confettis à la surface de l'eau. Lola est remontée comme une flèche. Elle s'est trémoussée jusqu'à ce qu'il ne reste plus rien à manger.

— *Twist again, ohohoh, twist again, twist again all night through...*

C'était un vieux disque qu'on avait trouvé dans la commode, Ricardo et moi, quand nous étions arrivés à Milan. Le seul qui restait. De temps en temps, je l'écoute encore.

Je préfère écouter de la musique que regarder la télévision. La télévision, c'est dangereux. Je tourne dans l'appartement, je l'allume et je tombe dedans sans y faire attention. Après, le soir, j'ai un drôle de goût dans la bouche, et il n'est rien arrivé. Pendant des heures, il ne m'est rien arrivé du tout dans la vie.

J'ai perdu le fil.

Est-ce que Gianmarco a embrassé la fille Battista dans

l'allée avant de partir ? Est-ce que Texas et Lola ont fait des enfants ?

Ceux de l'immeuble d'à côté ont déjà tiré les rideaux. Impossible de savoir si le mari de la Giulia est rentré, si ce qu'elle a cuisiné lui a plu, impossible.

Tout ce qui fait la vie, tout a été noyé par la télévision. Il faut la détester.

Ça me ferait moins peur que Ricardo la déteste aussi. Quand il la regarde, il devient de mauvaise humeur. Il dit que non, mais je vois bien que oui. Après, il va dans sa chambre, et il regarde le plafond. Il se couche avec ses bottes. Ricardo a de très grands pieds. Je ne sais pas si maman l'a vu, mais je pense qu'il a presque les pieds d'un homme.

— *Twist again, ohohoh, twist again, twist again all night through.* Lola, j'ai dit. On arrête de danser, j'ai les pieds qui chauffent.

La voiture a avalé maman, il n'y a plus trace d'elle dans l'allée. Je n'ai pas regardé son parapluie s'ouvrir. Je ne regarde pas tous les jours.

Anatoli Tsapas a les yeux très enfoncés. Je l'ai noté dans mon carnet. Il est soudeur. Il a débarqué à Gênes pour travailler au port, à réparer les bateaux. Maintenant, il est à Milan. Les gens arrivent à Milan un peu par hasard, sauf s'ils y naissent comme Gianmarco. Gianmarco a dragué toutes les filles de l'allée, mais la seule qui ait voulu, c'est Carla Battista.

Anatoli tousse. Il tousse depuis une semaine. Je crois qu'il faudrait l'amener voir un médecin. Je me demande si quelqu'un va le lui dire. Moi, je ne peux pas. Il m'en voudrait de me mêler de ses affaires.

— Texas, dis-je, qu'est-ce qui te plairait chez une femme ?

J'entends Ricardo se lever et se diriger vers la cuisine. Faut-il manger avec lui ? Est-ce que ça lui plairait ? J'entr'ouvre la porte de ma chambre. Comme ça, il ne se sentira pas obligé de me le demander, mais s'il en a envie, il peut pousser la porte sans façon. Son blouson de cuir craque. Ricardo aime passer des journées entières sur son lit tout habillé. Aujourd'hui, il racle les murs du couloir et il fait grincer la porte du frigo sans m'avoir appelée.

Lola se pavane devant la vitre de l'aquarium. Quelle nonchalance. Peut-être que quand je serai vieille, je passerai des heures devant mon miroir, mais je ne pense pas. Maman fait le strict minimum et elle est très belle.

— Qu'est-ce qui te ferait plaisir ? dis-je. Dis-moi ce qui te ferait plaisir.

J'enfile mon manteau. Il reste des pastilles pour la gorge dans la pharmacie de la salle de bain. Je vais les prendre et les apporter à Anatoli, pour qu'il ne tousse plus. Je ne peux pas sortir seule, et certainement pas sans demander la permission à Ricardo, mais aujourd'hui il fait trop mortel. Il faut que je fasse quelque chose ou je vais me transformer en volcan.

Dans la cuisine, mon frère remue un tas de casseroles. Est-ce qu'il va remarquer mon absence ?

Probablement pas. Mon cœur bat très fort.

J'enfile mon ciré par-dessus mon manteau. C'est comme si je partais pour toujours. Cette idée me fait tourner la tête. Le dimanche, quand nous traversons la ville avec maman, je regarde les rues par où nous ne passons jamais, et je me demande quelles personnes y vivent. Tous les immeubles sont différents. Parfois, je vois des gens sur les trottoirs et je leur parle.

« Bonjour. J'aime beaucoup vos plantes. Elles sont très belles. Surtout le petit arbre. Il est si doux au toucher. Et les fleurs ont une couleur magnifique. Ce doit être agréable d'avoir une terrasse ici. Non, nous n'avons pas de terrasse privée. Nous avons une terrasse commune, sur le toit. Elle est bien aménagée, mais nous ne pouvons rien y mettre, ni lessive, ni plantes. »

« Bonjour. Il est à vous ce petit chien ? Il a les yeux pleins de farces. Je peux le promener ? Il va m'obéir ? »

Quand je m'arrête trop longtemps, maman m'appelle. Je dis au revoir aux gens dans ma tête, et je me mets à courir. Parfois, je stoppe sec à dix mètres de maman et de Ricardo, pour que maman prononce encore mon nom. Mais je n'utilise pas le même truc trop souvent, sinon elle finira par s'en douter.

Ce genre d'attitude met Ricardo en colère. « Tu es une tricheuse », dit-il, « une sale tricheuse. »

Ricardo n'arrange pas la vie. Il la prend telle qu'elle est. C'est pour ça qu'il reste comme une planche toute la journée.

Je l'entends faire couler de l'eau et empiler des assiettes. Se serait-il décidé à faire la vaisselle ? J'en profite pour me faufiler jusqu'à la salle de bain. Les pastilles sont à leur place dans l'armoire à pharmacie. Je les glisse dans la poche de mon ciré.

Maintenant, il va falloir sortir de l'appartement. Mes bottes sont dans le vestiaire, en face de la porte d'entrée. Ce n'est pas les enfiler qui risque de me faire prendre. Mais pour sortir, il faudra que je tire le verrou, et que je fasse glisser la chaîne de sécurité. Ce sont des gestes dont je n'ai pas l'habitude, et j'ai peur de faire du bruit.

J'arrive jusqu'au vestiaire sans encombre. Je me glisse sous les manteaux pour enfiler mes bottes. Elles sont trop souples, elles plient, je n'arrive pas à y enfoncer le pied. Je m'énerve.

C'est l'idée de prendre l'ascenseur. Je me sens mal dans les ascenseurs, j'étouffe, surtout quand ils sont petits comme le nôtre. Bien entendu, je pourrais descendre par l'escalier, mais alors ça ne compterait pas.

Je passe ma tête à l'intérieur du manteau beige de maman. Il est doublé de soie. Elle le portait le jour où nous sommes arrivés à Milan. Je me souviendrai toute ma vie de son sourire. « Milan », a-t-elle dit, « c'est Milan. » Nous avons été à la buvette de la gare, et elle a commandé un café et deux chocolats. Sur sa tasse, il y avait un petit Pedrito qui jouait de la guitare. Il portait un grand chapeau de paille. Maman nous a montré sa tasse et elle a souri. Elle chantait : « *Lo que sera, sera, what ever will be, will be* », et elle n'arrêtait pas de sourire.

Je respire l'étoffe du manteau. Je sens son parfum, mais presque plus, comme quand elle nous appelle au téléphone de très loin et que nous l'entendons mal.

« Ça suffit, Stefania », j'ai dit. «Tu rentres ou tu sors, mais tu ne restes pas là. »

J'ai enfilé mes bottes d'un coup sec, et j'ai rampé hors du vestiaire. Ricardo avait mis la radio à fond. J'ai tiré le verrou et la chaîne en une seconde, puis j'ai très vite refermé la porte derrière moi.

J'étais dehors.

A ce moment-là, je me suis rendu compte que je n'avais pas pris le double des clefs de l'appartement, qui pend à côté de la porte, accroché à une plaque de métal. J'allais devoir sonner pour rentrer.

J'ai pensé : « On verra à ce moment-là. » Le voyant de l'ascenseur ne clignotait pas, alors j'ai appuyé dessus du plus fort que je pouvais. Les câbles se sont mis à rouler. J'ai frissonné, tout à coup. J'étais dehors, toute seule, et personne ne le savait. Est-ce que je désobéissais ? Est-ce que c'était grave ? Est-ce qu'Anatoli allait être content de me voir ?

L'ascenseur s'est arrêté à notre étage. Il brillait dans l'ombre du couloir. A Costanza, la première chose que je faisais le matin, c'était dessiner la forme des nuages que je voyais de la fenêtre du salon. A Milan, le ciel était gris. Il n'y avait pas de nuages. Les pièces, la rue, l'église, tout était plus gris, et les objets luisaient. A Milan, il m'arrivait parfois de penser que les objets étaient en vie.

« Qu'est-ce que tu veux devenir, Stefania ? » — « Chef d'orchestre. » — « Pour devenir chef d'orchestre », disait maman en soufflant les bougies de mon gâteau d'anniversaire, « il faut avoir du sang-froid. »

J'ai aspiré le plus d'air possible dans mes poumons, puis j'ai tiré la porte de l'ascenseur. Il sentait la cigarette. A droite, il y avait une plaque dorée, avec une rangée de boutons noirs. J'ai enfoncé le dernier. L'ascenseur est parti. Si jamais il s'était arrêté, je me serais mise à crier pour réveiller les morts. Je ne respirais presque plus. Au bout du compte, quand il s'est immobilisé, j'étais si assommée que j'ai failli ne pas sortir.

Le hall d'entrée était vide. Je devais penser à maman et me faire voir par le moins de voisins possible. Il ne fallait pas qu'ils puissent aller dire partout qu'elle me laissait vagabonder à mon aise.

J'ai serré la boîte de pastilles. Derrière les baies vitrées du hall, l'allée se noyait sous la pluie. Je me suis juré d'appeler Anatoli, de lui donner la boîte, puis de rentrer au plus vite. D'où j'étais, je voyais les sonnettes en cuivre avec tous les noms des locataires de la Residenza Dante. Si je perdais courage pour remonter, je pourrais toujours sonner et demander à Ricardo de venir à mon secours.

Je suis sortie dans l'allée sans rencontrer personne. J'ai levé le visage, pour prendre un peu de pluie. Après la chaleur de l'immeuble, c'était rafraîchissant. Les bruits du boulevard s'amplifiaient au dehors. De ma chambre, je ne les percevais pas si nettement. L'air frais me pinçait les joues. Je m'endormais à regarder la pluie tomber, mais une sorte de cri m'a réveillée.

Le cri provenait du toit d'à côté. Ce devait être Anatoli ou Gianmarco qui cherchaient un outil, ou qui se lançaient un commentaire sur les filles qui circulaient à mobylette entre les arbres du boulevard.

— Qu'est-ce qui te ferait plaisir ? Dis-moi...

Je redoutais la réaction d'Anatoli. Lui donner la boîte de pastilles, c'était avouer que je l'observais, c'était lui montrer qu'il était malade, que j'avais pensé qu'il ne se soignait pas bien, et que personne n'était là pour s'occuper de lui. Je pouvais le vexer, le fâcher.

Mais j'étais sortie pour lui donner cette boîte, et il fallait le faire. Tant pis pour moi si je n'avais pas réfléchi avant. Ça m'apprendrait à céder à la première idée qui me traversait la tête.

J'ai avancé jusqu'à la moitié de l'allée. Une partie de l'échafaudage pour la réparation du toit se trouvait dans la cour du café Peroni, et l'autre partie chez nous, devant moi. Je passais devant l'échafaudage chaque jour, mais je ne le regardais vraiment que de ma fenêtre. D'en bas, il était beaucoup plus impressionnant. La pluie s'engouffrait dans les grandes feuilles de plastique qui le protégeaient et le vent les faisait claquer.

Au-dessus du café Peroni, il y avait six appartements. Luisa et ses perruches. Le vieux qui mangeait des journaux. La Carla et toute la famille Rovere. Giulia et son salaud de carabiniere. Monsieur et madame Dalla Conti. Le type qui vivait volets fermés, un petit à moustache qui ne mangeait que des légumes et qui faisait du footing. Anatoli et Gianmarco travaillaient sur la tête de tous ces gens, et c'était haut.

« Il ne faut jamais abandonner », disait maman. « Si jamais j'apprends que vous avez abandonné, je vous déshérite. »

D'où j'étais, je ne voyais pas Anatoli et Gianmarco et eux non plus ne pouvaient pas me voir. Je me souvins avoir vu Carla Battista crier dans l'allée, avec ses mains en cornet, pour attirer leur attention. De ma chambre, l'idée que les gouttes de pluie s'engouffraient dans sa gorge était plutôt comique. Je ne sais pas pourquoi j'avais agi comme si Anatoli et Gianmarco seraient prévenus de mon arrivée. Quand je pense aux gens, je m'attends toujours à ce qu'ils le devinent.

La boîte de pastilles était là, dans ma poche. Parfois, j'ouvrais le tiroir de maman, le tiroir qu'elle ferme à clef, et je touchais l'alliance de papa, et je rêvais à ce que cette alliance leur avait fait faire, à lui, à maman, et à nous. Sans l'alliance, nous ne serions jamais venus au monde, Ricardo et moi. Nous ne serions jamais venus à Milan. Peut-être, je pensais, qu'il n'y aura jamais un objet aussi important pour moi dans ma vie. Et voilà que j'étais au pied d'un échafaudage, avec la pluie qui me glaçait les jambes, sans aucun moyen de rentrer chez moi, pour une boîte de pastilles.

Est-ce que j'allais crier ? Quand Carla Battista criait, je l'entendais, et j'allais à la fenêtre. Je ne voulais pas qu'on me voie dans l'allée, mais je n'avais pas non plus l'intention de passer une éternité sous cet échafaudage. Je me suis mise à hurler.

— Anatoliiii... Anatoliii. Aaaanatoooliii. Anatoliiii...

Je me suis arrêtée quand je suffoquais. La pluie me dégoulinait sur le visage. Comme j'étais jambes nues, l'eau coulait le long de mes jambes, jusque dans mes bottes. Mes chaussettes étaient trempées. J'ai respiré à fond. Et puis je me suis rendu compte que rien n'avait bougé.

L'allée était déserte. Il n'y avait pas une seule tête aux fenêtres de la Residenza Dante. Pas un rideau ne s'était levé, pas un store n'avait grincé. Une voix d'homme retentit sur le toit Peroni, et je vis une corde se dérouler. Personne ne m'avait entendue. Quelqu'un aurait pu m'égorger et repartir.

Je crois que c'est ça qui m'a donné le courage de monter. Maintenant, j'avais peur. J'avais peur qu'il m'arrive quelque chose et que personne ne le sache. Je me disais que sur l'échafaudage, au moins, je serais en sécurité.

J'en ai fait le tour. Sur le côté, il y avait des barres. Une barre droite, puis deux barres croisées, puis une barre droite, puis un étage de deux planches, et ainsi de suite. Ce n'était pas une échelle, mais ça permettait de grimper.

Je portais ma robe-chasuble en velours marron, et mon chemisier bleu en laine, celui avec le petit col. Ils n'étaient pas trop serrés. J'ai pris une barre en main. Elle était glacée. Mes bottes glissaient un peu, mais ça allait. J'ai commencé à monter.

Souvent, quand j'étais seule avec Ricardo pendant les vacances, j'en voulais à maman de nous laisser. Je pensais que j'aurais préféré ne plus la voir du tout, plutôt que de la voir seulement de temps en temps. Ces jours-là, quand elle rentrait le soir, je ne courais pas à sa rencontre. Je restais dans ma chambre.

Une nuit, j'avais laissé la porte entr'ouverte et je pleurais toute seule dans le noir. Maman m'a demandé si elle pouvait entrer. Elle est venue s'asseoir au bord de mon lit.

D'abord, j'ai serré les lèvres et je me suis tournée vers le mur. Maman n'a pas parlé, elle m'a simplement caressé les cheveux. Alors, je lui ai pris la main et je l'ai tenue contre moi.

Maman m'a demandé si je l'attendais et j'ai dit oui. Elle m'a demandé depuis quand et j'ai dit depuis que tu es rentrée.

« Je te laisse bouder quand tu en as envie », a dit maman, « mais tu dois savoir que ça me fait mal de ne pas te voir quand je rentre. »

Maman m'a regardée longtemps, un peu comme si elle voyait quelque chose à travers moi. Elle a pris mon visage entre ses mains et elle a appuyé son front contre le mien, très fort. Je sentais sa respiration sur ma bouche.

— Stefania, a dit maman.

Je me souviens toujours de ce « Stefania » quand je dois faire quelque chose de difficile. C'est comme si maman comptait sur moi, comme si la vie allait être insupportable pour elle si nous aussi, nous commencions à lui poser des problèmes.

Qu'aurait-elle dit si elle m'avait vue sur l'échafaudage ? Je lui aurais expliqué que je ne voulais pas abandonner.

J'étais à la hauteur de chez Giulia. Mon capuchon était tombé sur mes épaules au deuxième, et je n'avais pas osé le remettre. Mes cheveux collaient à mes joues. Je n'arrivais plus à réfléchir. Mon cerveau était peut-être gelé. Mes mains et mes jambes continuaient toutes seules. Je m'étais habituée aux barres, mais pas aux planches parce qu'elles n'étaient pas rabotées et si épaisses. Pour monter sur les planches, il fallait que je pose d'abord un genou dessus, puis que je me tire avec les bras.

Au fur et à mesure que j'avançais, mes genoux me faisaient de plus en plus mal. Je me tordais dans tous les sens pour ne pas les poser sur les planches deux fois de la même façon. Mes mains dérapaient sur les tubes, et je les essuyais de temps en temps à mon manteau, à l'intérieur de mon ciré. C'était une gymnastique.

Mais je grimpais. « Texas ! » j'ai dit, « Lola ! Regardez-moi ! » J'avais envie que Ricardo passe dans la salle de bain et m'aperçoive au sommet de l'échafaudage. J'étais tellement absorbée par mon escalade que je ne pensais pas à appeler Anatoli Tsapas. Je ne l'entendais plus, ni lui, ni Gianmarco. J'écoutais le sang qui me battait aux oreilles et les klaxons des voitures, sur le boulevard.

Au cinquième, je suis tombée sur une double épaisseur de planches. C'était l'étage des Dalla Conti. D'où j'étais, je voyais le plafond de leur cuisine, un lustre en verre qui miroitait.

J'avais pris un rythme. Je ne m'attendais pas à cette difficulté. J'ai croisé les bras autour d'un tube et j'ai regardé en bas.

L'allée m'est remontée d'un coup dans les yeux. Un vide s'est creusé dans ma poitrine. Le cœur me tournait.

« Dépêche-toi », j'ai dit. « Dépêche-toi, Stefania, ou je lâche. Je vais lâcher ! »

Pour arriver aux planches, j'ai levé la jambe très haut. J'ai posé le genou sur la plus haute, mais j'étais tellement en déséquilibre que je voyais l'allée et plus l'échafaudage, comme avant.

Quelque chose de dur m'a gêné le coude. Ça m'empêchait de grimper. Je l'ai poussé, fort. Il y a eu un bruit métallique et ça s'est fracassé par terre.

En bas, l'allée tournait, tournait, et mes mains se ramollissaient à chaque vertige. J'avais l'impression que mes doigts gonflaient. Je n'arrivais plus à rien attraper.

J'ai coincé un tube dans ma jambe droite. Quoi qu'il arrive, je ne le lâcherai pas. Puis, je me suis tirée vers le haut. Ça a duré des heures, plus longtemps que pour tout le reste. J'étais froide. Mes mains, mon corps, tout était raide.

J'allais pleurer. J'allais lâcher. J'étais assise. J'étais assise sur ces planches et il s'était arrêté de pleuvoir.

Je suis restée là.

La Residenza Dante n'avait pas bougé. Les appartements face à l'allée étaient vides. Pas un homme ou une femme ne semblait les occuper. Dans la pénombre, on entrevoyait de grands canapés, des vases orientaux, des tapis épais.

Parmi les appartements qui avaient vue sur l'arrière, sur un petit jardin inaccessible, comme le nôtre, personne dans les salles de bain ni dans les chambres. Des lits défaits, une pièce vide, une autre pleine de valises et de caisses en carton.

L'allée séchait. De petites boules brunes brillaient dans les flaques. Je me suis demandé ce que ça pouvait bien être. Des crottes de moineaux ? Il n'y avait pas d'oiseaux dans l'allée. Des croûtes de pain ? Personne n'en jetait là. Des boutons ? C'était trop petit. Ça ressemblait à des médicaments. Machinalement, j'ai tâté la poche de mon manteau. Elle était vide.

Il m'est alors arrivé une chose bizarre : pendant une minute, mon esprit est resté aussi vide que ma poche. Les cloches de l'église de Santa Gracia, une alarme, des chuchotements de pneus dans ce qui restait de la pluie, des bouteilles vides déposées dans la cour du bar Peroni. Tous ces sons ont résonné derrière mes yeux et je n'en comprenais aucun.

Au bout d'une minute, mes pensées sont revenues. Elles se battaient sous mon crâne toutes à la fois.

L'objet que j'avais poussé et qui s'était écrasé en bas, c'était la boîte de pastilles.

J'étais sortie pour rien. Mon escalade était inutile. Anatoli ne pourrait jamais me fournir une excuse pour m'être échappée. Au contraire, s'il me découvrait, maintenant, sur son échafaudage, il piquerait une grosse colère.

Si quelqu'un me voyait, à présent, qu'est-ce que j'allais pouvoir inventer ? Je devrais mentir, de toute façon, puisque j'étais dehors sans prétexte. Ce ne serait pas facile. S'il y avait une chose que maman ne supportait pas c'était passer pour une imbécile. J'avais intérêt à trouver une histoire convaincante, et la même pour tout le monde.

Quelle heure était-il ? Plus près de deux heures ou de quatre ? Si Ricardo avait terminé la vaisselle, il mangeait, et après il passerait à la salle de bain pour se brosser les dents. Il n'était pas question qu'il me trouve sur l'échafaudage, trempée, les cheveux collés par mèches au visage.

Je devais redescendre, le plus vite possible.

— Une histoire, j'ai chuchoté. Tu dois trouver une histoire.

J'ai regardé autour de moi. Est-ce qu'il n'y avait rien que je puisse utiliser comme prétexte pour appeler Anatoli et Gianmarco ? J'étais fatiguée. Mon manteau mouillé me donnait la chair de poule. Mes os voulaient se réchauffer et dormir.

Pourtant, redescendre n'était rien si j'avais une bonne histoire. Je n'en trouvais pas. C'était un vrai mensonge que je devais trouver, cette fois-ci, pas des mots en l'air comme je pouvais en jeter cent à la minute devant Texas et Lola qui gobaient tout.

Et si je disais la vérité ? « Maman, j'ai vu que monsieur Tsapas toussait, j'ai voulu lui apporter une boîte de pastilles. Elle est tombée, ce n'était vraiment pas de ma faute. »

Je ne la voyais pas souvent, mais je connaissais assez maman pour savoir ce qu'elle répondrait : « Si elle est tombée, c'est que tu n'as pas fait attention. »

Elle aurait raison. Quand l'objet m'avait gênée, je n'avais pas pensé une minute que c'était la boîte. J'avais perdu mon sang-froid.

Je savais ce que ça signifiait. Plus question d'être chef d'orchestre. Maman voulait que je sois avocate. Elle ne m'épargnerait pas. Maman n'épargnait personne, surtout pas nous. Je lui avais donné l'argument idéal. « Pour être chef d'orchestre, il faut du sang-froid. » Maman était trop intelligente pour ajouter : « Et tu n'en as pas. » Mais si je lui racontais l'histoire telle quelle, ce serait son jugement, un jugement sans appel. Maman ne croyait pas aux deuxièmes chances. Elle disait : « La vie ne donne pas de deuxième chance. Je ne vois pas pourquoi j'en donnerais une, moi. »

Le soleil perçait doucement. Mes pensées continuaient à culbuter. A peine debout, une solution s'écroulait tête la première et toutes les idées qui auraient pu suivre avec elle.

J'ai décidé de redescendre. J'ai posé un pied sur la barre du dessous. C'était plus facile dans ce sens-là. Au lieu de me tirer, je pouvais simplement me laisser glisser. Je faisais très attention de ne pas tomber, sinon ça aurait été amusant.

L'allée se rapprochait très vite. Mes bottes laissaient des traces sur les tubes. J'espérais qu'Anatoli et Gianmarco ne remarqueraient rien.

Fallait-il ramasser la boîte de pastilles ? Ou est-ce que ça n'avait aucune importance de la laisser là ? Et si je la ramassais, fallait-il la garder, la jeter ou la cacher ? Est-ce que le mieux n'était pas simplement de sonner et de dire à Ricardo : « J'ai été faire une promenade. J'espère que tu n'en diras rien à maman, elle a déjà assez de soucis comme ça. » ? Et si je sonnais, est-ce que Ricardo allait répondre ?

Cette idée me stoppa net au premier étage. Comme pour Anatoli, j'avais pensé que Ricardo devinerait que c'était moi. Seulement, Ricardo ne devinait jamais rien. Il lui arrivait même de ne pas voir ce qui était à ses pieds. Nous avions tous les deux du chagrin de voir maman partir. Chez moi, c'était du chagrin sauvage. Je le tenais à distance comme les dompteurs du cirque. Je criais dessus, je faisais la furieuse. Ricardo, lui, s'était laissé manger. Ricardo habitait au fond du ventre de son chagrin. Ça faisait six mois qu'il ne sortait plus la tête. Six mois. Depuis que nous avions quitté Costanza. Je ne savais pas quoi faire.

Malgré moi, j'ai redressé la tête et je me suis assise le dos droit. Quelque chose avait changé dans le paysage.

L'allée ? Non. Elle se vautrait dans le soleil. Les fenêtres de la Residenza Dante étaient aussi désertes que tout à l'heure. Mais la porte du hall était ouverte. Ce hall était large. Le concierge y avait placé quelques plantes vertes. A gauche, il y avait les boîtes aux lettres, et à droite les sonnettes. Pourtant, il fallait toujours quelques secondes avant d'y trouver quelqu'un.

J'avais beau balayer le hall des yeux, je ne voyais personne. J'allais me laisser aller le long du tube quand j'ai pensé à quelque chose. La signora Cadutti. « Partout où vous allez », disait maman, « regardez où est la vipère et où est l'ange. » La signora Cadutti était la vipère de la Residenza Dante. Elle était si méchante qu'elle devait faire pleurer les pierres. Son mari était mort depuis longtemps. C'était à elle qu'appartenait le jardin arrière de l'immeuble. Elle refusait de le vendre pour qu'aucun locataire ne puisse y aller. La signora Cadutti était petite, si petite qu'elle ne dépassait pas les plantes du hall.

J'ai attendu. Mon cœur frappait. Mes poumons étaient si rétrécis que je respirais toutes les secondes. Rien n'a bougé. La porte était ouverte, immobile. Le hall blanc buvait la lumière qui revenait. Est-ce qu'on vit pendant ces moments où il ne se passe rien ? Moi, je flottais. Le concierge avait dû traverser le hall et ouvrir la porte, pour aérer. Il abusait de l'ammoniaque, et c'était souvent nécessaire.

Tout serait simple. J'entrerais dans le hall, je grimperais l'escalier quatre à quatre, et au lieu de sonner, j'appellerais Ricardo à travers le trou de la serrure.

A ce moment, je sentis une main qui me prenait la cheville et qui serrait. J'ai regardé vers le bas. Deux yeux fixes et noirs me saisirent dans leurs vagues. C'était elle. De près, elle était si laide que c'était difficile de laisser son regard dessus. Sa figure était couverte de rides, du front au menton. « Pour compter l'âge de la signora Cadutti, c'est comme pour les arbres », j'ai pensé, « il suffit de compter le nombre de rides. »

Elle s'humecta les lèvres avant de parler. Peut-être qu'elle avait deviné ce que je pensais.

— Toi aussi, tu seras vieille un jour, dit-elle. Aussi vieille et aussi laide que moi.

— Lâchez ma jambe, j'ai dit.

Elle a serré plus fort. Elle enfonçait ses ongles dans mes chevilles.

— S'il vous plaît, vous me faites mal, signora, j'ai dit. Lâchez-moi. Je dois rentrer.

— Qu'est-ce que tu faisais là-haut ? Ta mère ne veut plus de toi ? Elle t'a mise dehors pour être un peu tranquille ?

Un éclair noir me traversa l'esprit : « C'est dedans que maman nous met pour être un peu tranquille. » Avant que je puisse chasser cette idée, la signora Cadutti me lâcha. Elle devait sentir qu'il y avait quelque chose de gagné. Je la regardais dans les yeux. Elle ne bougeait pas. Je suis descendue tout doucement jusqu'à terre. Elle me barrait le passage dans l'allée.

— Je vais rentrer, signora, j'ai dit. Mon frère m'attend. Il doit s'inquiéter.

— Ça m'étonnerait, elle a répondu. Je viens de passer sur votre palier. Ton frère prend encore la maison pour une discothèque. A mon avis, il n'a même pas remarqué que tu n'étais pas là.

J'ai frissonné. Je le savais, que Ricardo ne s'apercevrait pas de mon absence, mais une chose était de le savoir, et une autre que ce soit la signora Cadutti qui me le dise.

— Tu vois, a-t-elle ajouté, tu ne manques à personne. C'est le cas de la plupart d'entre nous, mais pour toi, c'est plus triste, parce que tu es jeune.

Je devais me retenir de faire quelque chose. Je ne savais pas quoi exactement, mais je me retenais très fort.

— Je vais en parler à ta mère. Je vais lui dire que c'est tout de même gênant pour nous qu'elle te néglige autant. Tu t'imagines le choc que ça a été pour moi de te trouver là-haut, elle a dit. J'aurais pu avoir une crise cardiaque.

Jusqu'au moment de rencontrer la signora Cadutti, la méchanceté était pour moi un défaut affreux, une sorte de verrue morale. Avec cette vipère, j'apprenais que la méchanceté est un poison, un poison qu'elle me donnait pour me faire perdre le nord, et m'amener ensuite où elle en avait envie.

— Je suis montée seulement au premier, j'ai dit.

— Tu es une menteuse ! Regarde, on apprend tous les jours, même à mon âge. Je ne pensais pas que tu mentirais si bien.

Qu'est-ce que j'avais fait ? Elle tenait en main la boîte de pastilles, et c'était seulement maintenant que je le voyais.

— Et est-ce que tu mens aussi à ta mère ? demanda la Cadutti. Est-ce que tu mens à ton frère ?

J'ai couru. Quelque chose avait craqué. C'était la deuxième fois de la journée. Je ne serais jamais chef d'orchestre. Mon corps s'est lancé en arrière, et je suis sortie de l'allée. J'étais sur le trottoir. J'entendais les voitures, un car, une moto qui démarrait sous les arbres. J'avais les larmes aux yeux tellement je courais vite. Je ne savais pas où j'allais.

Le boulevard défilait devant moi en accéléré. La bouti-que de mercerie où maman achetait ses bas. La librairie-papeterie Giorgio. Le café Bontempi. L'arrêt du car. Un immeuble avec la façade de rez-de-chaussée en marbre noir. Une plaque : Dottore Silvia Scalvi. Une vitrine de cuisines équipées. La Standa. Une palissade. Un garage avec des étincelles qui jaillissaient de la fosse. Des accessoires automobiles. Un panneau publicitaire pour Upim. Une compagnie d'assurances.

Un feu rouge. Je me suis précipitée en avant. Il n'y avait aucune voiture en vue. Le carrefour était immense et vide. J'ai traversé en diagonale. Les passages pour piétons. Les plates-bandes. J'avais compris où mes pieds m'emmenaient.

Chaque jour, quand le car faisait demi-tour à la fin du boulevard, pour ne pas prendre la direction des collines, il empiétait sur l'aire de stationnement du camping municipal. C'était une aire de terre battue, plantée de pins, et juste devant le camping, sur quelques mètres, un ruban de rivière se déroulait entre les herbes.

Quand le car arrivait à cet endroit, j'avais souvent envie de descendre. L'eau qui coulait me rappelait Costanza. Je trouvais ce bout de terrain si bizarre. On aurait dit une espèce de pinède en pleine ville.

Je me suis assise sur le banc de pierre, face au camping. J'étais essoufflée et j'avais honte. Je m'étais laissée aller. J'avais menti. J'avais fui. Et maintenant, pire que tout, je regrettais Costanza.

« Pas de nostalgie », disait maman, « la vie est devant, pas derrière. »

Maman m'aurait détestée cet après-midi. J'étais contente qu'elle ne me voie pas. Contente qu'elle soit à des milliers de kilomètres, et qu'elle ne sache pas que j'avais craqué.

N'empêche que moi, je le savais. Sous mon crâne, c'était

le désordre le plus total. Je balançais mes pieds d'avant en arrière. Qu'est-ce qu'on allait faire de moi ?

J'ai été soulagée qu'une voiture s'arrête devant l'entrée du camping. C'était de la distraction. Le conducteur a regardé l'enseigne, puis il a hésité. La voiture a fait une marche arrière, et la portière côté passager s'est ouverte.

Le conducteur était un homme plutôt jeune. Il avait l'air un peu perdu, comme s'il ne savait pas du tout ce qu'il devait faire. Ses yeux dansaient dans tous les sens, du camping au boulevard, de son tableau de bord à ses mains. Il a allumé une cigarette. C'était sans doute un de ces types qui ne peuvent rien faire avant d'allumer une cigarette.

— Vous êtes seule ? il a dit, en fronçant les sourcils.

Je n'ai rien répondu. Est-ce qu'il voyait une girafe à côté de moi, un hippopotame, un berger allemand ? Non. Qu'il en tire ses conclusions.

J'ai balancé encore plus fort mes pieds d'avant en arrière pour montrer que j'étais contrariée. S'il était bête, autant qu'il s'en aille tout de suite.

— Je vends des frigos, il a dit. C'est mon travail. De grands frigos pour les glaces, en été. Je les vends aux plages, aux campings, comme celui-ci.

Il m'a regardée. Je l'ai regardé. Parfois, quand j'écoute les gens d'une certaine façon, ils me racontent leur vie. Ils oublient que je suis petite. Après ils sont gênés. Ils disent : « Oh, mais tu n'es qu'une enfant. Tu es si intelligente, Stefania. On a tendance à oublier ton âge. »

Il a tiré sur sa cigarette. Il se débarrassait de sa cendre à chaque bouffée. Un maniaque.

— Je vends mieux en hiver qu'en été. En été, les gens sont trop occupés pour me recevoir. Ils ne m'appellent qu'en cas de panne.

— Ah, j'ai dit.

Il a ouvert la fenêtre, de son côté. Il avait besoin d'air.

— Pourquoi êtes-vous ici ? Vous vous ennuyez chez vous ?

— Je ne m'ennuie jamais, j'ai dit.

— Vous avez de la chance. Moi, je ne me souviens plus si je m'ennuyais ou non quand j'étais enfant. Je ne me souviens plus de grand-chose, en fait. Est-ce que j'avais peur des adultes ? Est-ce que j'aimais leur parler ? Vous êtes une petite fille très maligne, j'en suis sûr. Votre mémoire ne vous fera pas défaut. Mais la mienne, oui, elle me lâche. Vous voulez bien m'aider ? Il faut me dire des choses qui m'aideraient à tout retrouver.

Je trouvais ça plutôt horrible de ne pas se souvenir de son enfance. Est-ce que j'allais oublier Costanza ? Oublier maman ? Oublier la Residenza Dante ?

— Vous vous rappelez quoi, exactement ? j'ai demandé.

— Ma petite sœur, il a dit. Elle vous ressemblait un peu. Je me suis fâchée.

— Qu'est-ce que vous en savez ? Vous ne me connaissez pas.

Il a hoché la tête.

— C'est juste, il a dit. Très juste.

Nous nous sommes tus. J'en avais marre. Je voulais rentrer à la maison. Texas et Lola me manquaient. Peut-être que pour une fois, je pourrais me coucher sur le lit de Ricardo et lui parler.

— Je vais devoir partir, dit-il. Est-ce que je peux vous raccompagner quelque part ?

J'étais fatiguée. Mon manteau et mon ciré pesaient sur mes épaules. Il était poli, cet homme.

— Non, j'ai dit. Je vais rentrer à pied.

— Très bien.

Le soleil s'approchait des collines, bien plus loin que Milan. Il nous illumina, d'un large rayon, puis le gris revint. L'homme époussetait son costume. Une cendre de cigarette avait volé. Il me sourit.

— Vos bottes vous ont blessée, dit-il.

J'ai regardé. J'avais de larges traits rouges à l'endroit où mes bottes s'arrêtaient sur mes jambes nues. C'était de monter, de courir. J'ai passé un peu de salive dessus. Ça piquait. Je me suis levée. J'ai fait quelques pas. La sensation du caoutchouc sur les écorchures était désagréable.

Il mit le contact. Il regarda sa montre.

— Je dois y aller. Ce fut très agréable. Vous êtes sûre que vous ne voulez pas que je vous dépose quelque part ?

Je me suis approchée de la voiture. J'ai posé ma main sur la portière. Il s'était passé beaucoup de choses. Je ne savais plus très bien où j'en étais.

— Monte, a-t-il dit.

« Une Farnese n'accepte aucun ordre », disait maman. Qui était cet homme ? J'ai reculé.

Il est devenu blanc. Il s'est penché vers moi.

— Monte !

J'ai reculé encore. Il a fait un mouvement, comme pour quitter la voiture. Je me suis mise à courir. Le feu était vert. J'ai traversé le boulevard. Sa voiture avait démarré dans un bruit horrible. Il était bloqué au feu rouge. En me retournant, je l'ai vu. Il était blême, avec les yeux qui lui sortaient de la tête, et il n'arrêtait pas de klaxonner.

Je courais de toutes mes forces. Tout à coup, le garagiste était devant moi, et il me prenait par les épaules.

— Hé ! où tu vas comme ça ? Ton papa t'appelle. Il ne faut pas s'enfuir.

Le garagiste fit un signe amical au type, dans sa voiture, qui arrêta de klaxonner. Je n'arrivais pas à me dégager. Le feu passa au vert. La voiture s'approchait. J'ai décidé de ne plus bouger. Je suis restée tranquille. Le garagiste m'a lâchée. Je me suis remise à courir.

J'ai entendu un bruit de ferraille. Le type passait sur la plate-bande, entre les arbres, pour reprendre le boulevard dans le bon sens. Il était cinglé. Il allait me poursuivre jusque dans les corridors, même si j'arrivais à la Residenza avant lui. Je ne pouvais pas prendre le risque que Ricardo ne m'ouvre pas. Où est-ce que j'allais aller ? Où est-ce que je pouvais aller ? « Je suis seule au monde », j'ai pensé.

Je courais. Tout était blanc et vide. Je le voyais rouler de l'autre côté du boulevard. « Je suis seule au monde, personne ne me veut, à part lui », j'ai pensé. J'ai failli m'arrêter.

Et puis, je me suis mise à crier : « Signore Battista ! Signore Battista ! » Il était là, sur le trottoir, devant le café Peroni, les mains derrière le dos, le ventre en avant. Je me suis précipitée sur lui. Je me suis cramponnée à son ventre. Le monde pouvait me tomber sur la tête, je ne lâcherais pas le signore Battista et je ne regarderais plus le boulevard.

Deux grandes mains se sont posées sur ma tête. J'ai serré le plus fort que je pouvais le signore Battista, et je me suis mise à pleurer. La voiture s'est garée devant nous. Je la reconnaissais. Je ne l'oublierai jamais. Le gros ventre du signore Battista s'est durci.

— Fous le camp, il a dit. Fous le camp, merdeux, où j'appelle les carabinieri.

La voiture est montée sur le trottoir et a renversé une poubelle. Le signore Battista m'a tirée à l'intérieur du bar

Peroni. Il a essayé d'enlever mon ciré, mais je me cramponnais, alors il a laissé tomber. Il est resté debout tout le temps que je pleurais, et de temps en temps, il me serrait très fort.

— Si ce n'est pas malheureux, il a dit, à un moment donné.

J'ai levé la tête. J'étais étonnée d'entendre sa voix résonner dans le café vide. Il m'a prise par la nuque.

— Cette belle petite fille, il a dit.

Il m'a assise, et il est allé aux toilettes. Il est revenu avec un mouchoir propre tout mouillé, et il me l'a passé sur la figure. J'avais le cœur vague.

Le signore Battista m'a préparé un lait chaud avec de la brioche. Il a posé la tasse et l'assiette devant moi. Des clients sont rentrés, alors il est parti s'en occuper. J'avais très faim. J'ai fini la brioche, puis encore deux autres. Les clients ne s'occupaient pas de moi. J'écoutais et j'observais de mon petit coin. Le signore Battista est venu, avec un bic et un petit carnet Peroni.

— Si c'est pour écrire, il a dit, signorina, vous pouvez tout aussi bien le faire ici où je garde un œil sur vous.

J'ai regardé le bic et le carnet. Au début, je me suis demandé pourquoi il me les avait apportés. Je n'arrivais à rien en faire. Puis, j'ai écrit deux ou trois mots, comme ça.

Un moment, j'ai levé la tête. Il faisait noir. Le bar Peroni était plein de clients. Le signore Battista me regardait. Il m'a fait un clin d'œil.

— En été, vous serez mieux. En été, nous aurons la terrasse, il a dit.

Vaporetto

Louria lisait, les yeux trop près du livre. Elle ne remarquait pas que je l'observais. Ses yeux suivaient docilement les lignes, et parfois elle rougissait. Que lisait-elle ? Parfois, elle essayait de m'en parler, mais je me rebiffais. J'avais envie d'entendre ce qui venait d'elle. Je refusais ces romans qui ne contenaient pas un gramme de son univers. Pourquoi était-ce si difficile pour Louria de me confier ses secrets ? Je suivais la courbe de son front et ma patience s'effilochait.

Je supportais pourtant une heure ou deux de lecture. Je regardais les rayons du soleil danser dans la cour, j'écoutais le clapotis de l'eau, et j'auscultais Louria à travers mes cils à demi clos. Semaine après semaine, je m'allongeais sur le ventre, et je suivais sa métamorphose. Louria devenait une femme. Je voyais sa beauté surgir puis disparaître. Certains jours, les hommes se retournaient sur elle. Louria flottait à la surface de son pouvoir et ne remarquait rien. Louria, Louria, je pensais, et je tremblais pour elle.

Louria a souri, perdue pour moi. Peut-être que j'étais un peu jalouse de ses livres. Peut-être que je les rejetais parce que je n'arrivais pas à y trouver le même plaisir qu'elle, ou parce qu'elle ne parvenait pas à me faire partager le sien. Qui sait ? J'aimais ce qui nous faisait vibrer ensemble. Je détestais ce qui nous séparait. J'étais barbare. Je voulais me battre ou succomber, trahir ou me sacrifier, être très heureuse ou très malheureuse. Je me débrouillais pour que les choses arrivent, et je n'évitais rien. C'était difficile, parfois. Mais si je pleurais, je pleurais toujours seule.

— J'ai faim, Louria.

Je me suis relevée. Ma patience était à bout.

Elle a levé la main, signe qu'elle terminait son paragraphe. Un léger frisson lui a parcouru le dos, et le duvet de ses bras s'est hérissé.

— Allons manger quelque chose.

— Il reste du pain azyme.

— J'ai promis à la vieille du Rialto de lui acheter des bretzels.

— Au Rialto ?

Elle fit la grimace.

— On ne peut même pas marcher tellement il y a de monde.

— Louria, j'ai dit, il faut que tu sortes. Tu ne peux pas passer ta vie à lire.

— Pourquoi ?

— J'ai promis d'aller acheter des bretzels. La vieille les fait elle-même. Elle les vend à travers les barreaux de sa cuisine. Maman m'a dit qu'elle les avait toujours vendus comme ça, sans faire entrer les gens. Tu arrives, tu l'appelles, les bretzels sont sur une table, elle les entasse dans un petit sachet en papier, tu lui glisses l'argent sur l'appui de fenêtre, et elle pousse le sachet à travers les barreaux. Et parfois, elle chante, elle chante au fond de sa cuisine, et l'odeur des bretzels monte avec la chanson.

— Je termine mon chapitre.

— Bon, j'ai dit. Si tu préfères ton livre, je te laisse.

Je suis sortie très vite. Après l'ombre fraîche de la maison, c'était agréable de se retrouver au soleil. Je lui ai tendu mes bras, puis ma nuque et mon visage. J'ai entendu le portail de la maison claquer. Louria m'avait suivie. Ce serait plus malin de feindre que je ne l'avais pas vue tant que nous ne serions pas sur le ponton. J'ai piqué un sprint.

— Attends !

Je ne voulais pas me disputer. Faire sortir Louria, si je m'attardais, devenait une corvée. Il fallait lui donner mille prétextes, s'en occuper sans cesse. Tant qu'elle n'était pas sur les quais, happée par le mouvement de l'eau, elle risquait de se raviser.

— Attends-moi !

Je me suis retournée, pour l'encourager. Je courais à l'envers, les talons vers le fleuve, la pointe des pieds vers la ruelle. De cette manière, la perspective changeait. Je ne m'approchais plus de l'eau, je m'éloignais de la synagogue. Je n'avais plus les yeux fixés sur ce qui venait à ma rencontre. Au contraire, mon regard s'attardait sur ce que je venais de quitter. J'eus le soupçon que ça pouvait être une manière de vivre. Qui sait ? Peut-être qu'un soir de peine, je pourrais décider de me fondre dans ma vie à reculons, les yeux rivés à ma mémoire, au lieu d'affronter les événements. Cette idée me fit peur.

— Attends, Rachel, s'il te plaît !

Je me secouai et repartis de plus belle. Si c'était pour courir vers l'inconnu, autant courir le plus vite possible.

— Si je t'attends, il ne restera plus de bretzels ! Même les miettes, la vieille les aura jetées aux pigeons.

— Je ne cours pas aussi vite que toi.

— Tu lis trop, criai-je, si tu lisais moins, tu courrais plus vite.

J'étais pleine de mauvaise foi.

Je tournai le coin de la rue comme une flèche de lumière. C'était un rêve que je faisais souvent. J'étais un rayon de lumière, je pouvais pénétrer partout, voir ce qui était caché. Etait-ce si étrange ? Je regardais autour de moi, et je voyais tellement de choses tues, même les plus banales. Je racontais tout à Louria, et il lui arrivait de se boucher les oreilles en me demandant comment je pouvais prononcer des mots si horribles. Je ne savais pas quoi répondre. Si les secrets étaient gardés secrets, c'était bien pour quelque chose. Moi, je voulais voir tous les côtés de la vie, pas seulement ceux qu'on me présentait. J'étais désemparée quand Louria s'obstinait à désirer que le monde ressemble à l'idée qu'elle en avait, au lieu de l'accepter tel quel.

— Terminus, j'ai crié, en sautant sur le ponton delle Guglie.

Louria est arrivée peu après, essoufflée. Elle restait sur le quai, hésitante.

— Qu'est-ce que tu fais, j'ai dit. Tu m'accompagnes ?

Elle s'est avancée, puis retenue.

— Louria, tu viens ?

— Attends...

— Viens.

Je lui ai tendu la main. Elle l'a prise, et je l'ai tirée à moi.

— Tout va bien, j'ai dit. Tout va bien.

Elle m'a souri, puis elle s'est assise. Je ne parvenais pas à définir ce qui oscillait en Louria, mais ça se calmait dès qu'elle se trouvait en contact avec l'eau. Sur terre, Louria pensait constamment à quelque chose, son esprit était en activité même la nuit, comme un volcan, et comme un volcan il lui arrivait d'avoir des éruptions d'angoisses incertaines, que ma présence ne faisait qu'accentuer. Mais sur l'eau, je la voyais abandonnée, les traits ouverts, reposés. Alors, je m'apaisais avec elle, et c'étaient nos meilleurs moments.

Nous nous sommes tues. De ce côté delle Guglie, le chenal était étroit. Le vaporetto manœuvrait longtemps pour accoster, et l'arrêt n'était pas souvent desservi.

Une vieille en avait profité pour garnir le ponton de pots de géraniums. Il y en avait partout sur sa terrasse, alignés sur des planches. Elle accrochait aussi des pots de géraniums de l'autre côté de l'eau, sur un mur qui bordait la vieille fonderie. Elle avait dû emprunter une barge pour les mettre là et elle traversait probablement chaque soir pour les arroser. Toute cette énergie pour des plantes qui ne sont pas comestibles, j'ai pensé, et j'ai cueilli un géranium pour chatouiller Louria.

— Tu es trop sérieuse, j'ai dit. Tu devrais sortir plus souvent. Tu devrais voir des garçons.

Elle fronça les sourcils. J'avais réussi à la tirer de sa torpeur.

— Tu aimes les garçons, Louria ?

Elle fit une moue, les lèvres avancées, les paupières entrouvertes, une moue qui signifiait je suis bien, je ne veux pas répondre.

— Tu aimes *un* garçon ?

Elle me foudroya du regard.

C'était bien que je puisse la mettre en colère. Cela me rassurait. J'aimais provoquer la colère de Louria et l'apaiser ensuite. C'était un jeu. Je l'aimais. Peut-on imaginer d'aimer quelqu'un sur qui on n'ait aucune prise ? Cette situation m'aurait terrifiée. Je n'en voulais à aucun prix. Je l'aimais. Elle vivait dans ses livres. Je la secouais. C'était ma manière de le lui dire.

— Louria.

— Oui, dit-elle, les lèvres serrées.

— Tu ne veux pas parler ?

— Non.

— Mais moi, j'ai envie de savoir, j'ai dit. Est-ce que tu aimes un garçon ?

Elle entrouvrit les lèvres, puis les referma.

La vieille sortit sur son balcon. Nous nous tûmes. La trompe du vaporetto se fit entendre. Avec un peu de chance, il resterait bloqué quelques minutes à la ferrovia. Je voulais une réponse.

— Tu aimes un garçon ? En cachette, sans me le dire ?

— Non.

Ses yeux rencontrèrent les miens.

— Je te le dirais.

— Je n'en suis pas sûre, j'ai dit. Je ne suis pas sûre que tu aurais envie de m'en parler.

Ses yeux s'enfoncèrent en moi si profondément que j'ai failli lâcher prise. Comment faisait-elle ça ? Il fallait que je parle, ou elle allait voir combien je l'aimais, et je n'étais pas sûre qu'elle en ferait le meilleur usage.

— Et à moi, j'ai dit, tu ne me le demandes pas ?

— Te demander quoi ?

Elle fixait la courbe du chenal. Elle priait pour que le vaporetto arrive. Elle voulait fuir mon interrogatoire. Un pincement m'avertit : si je continuais à poser des questions, j'allais peut-être souffrir. Mais j'étais trop curieuse pour m'arrêter.

— Louria ? Tu ne me demandes pas si j'ai un amoureux ?

— Je n'ai pas envie de le savoir, dit-elle.

J'étais vexée.

— Quelle inconscience. Tu devrais tout savoir sur mon compte, sinon je peux te raconter n'importe quoi.

Son regard se voila. J'avais été trop loin.

— Quand je serai vieille, j'ai dit, moi aussi, je planterai des géraniums sur toute la planète. Je planterai des géraniums, je cuirai des bretzels, et je ferai l'amour avec un jeune homme bien élevé qui me laissera garder ma chemise de nuit.

Louria se tourna vers moi, stupéfaite.

« Saint Marc, faites qu'elle ne me demande pas d'explications », j'ai pensé, « comme d'habitude j'ai dit n'importe quoi. »

Le vaporetto fit son apparition. Cela me contraria au plus haut point. J'avais décidé que Louria me confierait ses secrets, là, sur ponton. Elle n'était pas encore prête à tout me dire. Le vaporetto arrivait trop tôt. J'eus peur de manquer ses confidences, pour une ou deux secondes. Depuis que j'avais cueilli le géranium, j'avais désiré voir son visage s'ouvrir sur un aveu qui ne serait destiné qu'à moi. Je voulais être la première à l'entendre prononcer des mots qu'elle n'avait jamais prononcés, même s'ils ne m'étaient pas destinés.

Je trépignais tandis que le pilote entamait sa manœuvre, et dès qu'il eut accosté, dès que la barrière de sécurité eut coulissé, j'entraînai Louria vers le banc de proue, à l'abri de la cabine. Elle me résista une seconde. Le matelot de pont la saluait en souriant, comme s'ils étaient familiers.

— Tu le connais ?

— Non.

Il sourit encore. Elle se ferma. Cela me surprit. Si elle se protégeait, c'est qu'elle se savait vulnérable.

— Tu le connais ?

— Je viens de te dire non.

Une larme coula le long de sa joue. Une seule larme transparente, qui m'entamait le moral.

— Qu'est-ce qui se passe ? dis-je. Qu'est-ce que j'ai fait ?

— Tu écoutes tout le monde si attentivement, dit-elle. Et moi... Parfois, j'ai l'impression que tu ne crois même pas ce que je te dis. Comme si je te mentais. Ça me fait mal. Ça me fait mal que tu puisses croire que je te mente. Pourquoi...

— Je t'écoute, j'ai dit. Dis-moi tout. Je t'écoute.

Louria regardait le Cannareggio défiler sans le voir. Les remous que nous provoquions claquaient contre les murs puis revenaient se heurter à la coque du vaporetto et nous éclaboussaient.

— Parle, j'ai dit. S'il te plaît.

Une vague plus haute que les autres nous aspergea les jambes.

— Rentrons en cabine, dit Louria.

Elle se leva. Je la suivis. Le matelot la dévisagea calmement, sans sourire cette fois. Elle l'ignora. Elle poussa les deux battants de la porte et s'assit en boule dans un coin.

Pendant un temps, moi aussi, je m'absorbai dans la course, puis je vis les Penitenti.

— Louria, j'ai dit, Louria !

— Oui, souffla-t-elle.

— Parle-moi.

— Je ne crois pas que tu aimerais mon histoire.

Le vaporetto accosta. Le choc se répercuta dans mon corps, et j'eus le souffle coupé. Je me mordis les lèvres. Louria avait des lèvres fines, égales, ourlées avec délicatesse. Moi pas. J'étais somnambule. Les nuits de crise, ma mère me suivait partout dans la maison de peur que je monte sur le toit. Mais elle n'osait pas me réveiller. Une nuit, j'avais trébuché sur le bord de ma chemise et dévalé les escaliers, la tête la première. Dans ma chute, je m'étais mordu la lèvre inférieure. Toutes les bonnes âmes m'avaient prédit qu'elle dégonflerait, mais leurs prédictions s'étaient révélées fausses. Elle était restée plus ronde et plus épaisse que l'autre. Je la frottai avec le bout de ma langue et soupirai. Louria se méprit sur mon soupir. Elle se mit à parler, très vite.

— Je sens quelque chose, dit-elle.

— Pour moi ?

J'étais flattée.

— Bien sûr, dit-elle.

— Pourquoi : « Bien sûr », j'ai dit, agacée. Tu crois que c'est automatique ? Tu crois qu'il suffit que je me montre pour qu'on sente quelque chose pour moi ?

Elle vacillait sous mon agressivité. La lumière de fin d'après-midi la couvrit d'or. Elle était belle, l'eau, la lumière, les pierres, tout était si beau, c'était presque insupportable.

— Peut-être que rien ne dure parce qu'on ne le supporterait pas, j'ai dit. Peut-être qu'on ne supporterait pas un bonheur qui dure.

Louria posa sa main sur mon bras.

— J'ai dit : « Bien sûr » parce que je passe tout mon temps avec toi. Tout le temps que je ne passe pas à lire, je le passe avec toi. Ça signifie que je sens quelque chose.

— Tu pourrais me trouver très intéressante, dis-je, et ne rien sentir du tout.

Elle se mit à rire.

— C'est si drôle, l'idée que je pourrais être intéressante ?

Elle rit encore plus fort.

— Alors, dis-moi ce que tu sens pour moi, j'ai dit, si tu en es capable.

Son rire se brisa net.

— Regarde-moi, dit-elle. Je ne peux pas te parler si tu ne me regardes pas.

Un effort d'honnêteté était nécessaire.

— Quand je te regarde trop fort, j'ai dit, je suis troublée, et je n'aime pas ça.

— Oui.

— Quoi « oui » ? Pourquoi est-ce que ça ne peut pas être clair ? Pourquoi faut-il toujours que je te tire les mots de la bouche ?

J'étais fâchée d'avoir eu à avouer.

— Moi aussi, je suis troublée. Parfois je te regarde dans les yeux, et c'est comme si j'étais montée sur une tour très haute, et que je me penchais vers le bas.

— Qu'est-ce que c'est que cette histoire, j'ai dit. Pourquoi ne peux-tu pas parler normalement ?

— J'ai besoin d'utiliser les mots que je connais pour parler de ce que je sens. Si tu veux, j'arrête.

Nous allions dans une direction que je n'avais pas prévue. J'avais besoin de retrouver mon sang-froid.

— Non, j'ai dit. Ne t'arrête pas. Je veux écouter jusqu'au bout.

— Parfois je lis des livres. Ce sont des histoires d'amour entre un homme et une femme, mais quand je les referme, je pense à toi.

— Louria, tu devrais rencontrer un garçon, j'ai dit. Le plus vite possible.

— Parfois, je me réveille la nuit, et je pense que mes draps sont ta peau.

Elle laissa aller sa tête contre mon épaule. J'étais impuissante. Je souffrais à l'idée du mal que j'allais lui faire.

— Tu me manques dès que tu me quittes, Rachel. Si tu savais les efforts que je dois faire pour ne pas te suivre. Certains soirs, je ne peux pas m'en empêcher. Quand tu pars, je me glisse derrière toi, et je t'accompagne jusqu'à San Fosca. Je crois que là ce sera plus facile de te quitter, mais je me trompe. Parce que tu ne sais pas que je te suis. Alors, une fois arrivée à San Fosca, je dois te laisser aller sans que tu m'embrasses, sans que tu ne me fasses signe. Et puis, sur la route, tu trouves un chat et tu le caresses, ou tu fais signe à quelqu'un que tu connais mais que je ne connais pas, et je me sens exclue.

Nous longions l'hôpital. Les îles étaient en vue. Je ne comprenais pas ce que j'entendais. Est-ce que c'était ça, le volcan de Louria ? Où encore quelque chose de plus profond, à venir ?

— Ces soirs-là, je m'assieds devant San Fosca. Je t'attends. Je sais que c'est stupide. Je sais que tu es chez toi, que tu manges. Mais plus le temps passe, plus fort j'attends. Je me dis : « Ça va être aussi insupportable pour elle que pour moi que nous soyons séparées. Elle va bondir hors de chez elle, et venir à ma rencontre. » Je me sens coupable. Quand j'attends de cette façon, je me fais du mal. Plus le soir s'en va, plus mon état empire, et moins j'ose rentrer.

J'ai poussé ma tête très fort contre la sienne. Elle tremblait. Je l'ai serrée contre moi.

— Il m'arrive de pleurer devant San Fosca, tu sais, de pleurer devant tout le monde.

— Je ne veux pas que tu pleures pour moi, j'ai dit.

Sa respiration était saccadée.

— Et je suis jalouse, dit-elle, jalouse de tous ces gens que tu devines, que tu écoutes, c'est pour ça que je n'aime pas écouter leurs histoires quand tu viens me les raconter.

J'ai regardé au dehors, à travers la vitre embuée du vaporetto.

Je l'aimais, mais pas comme elle m'aimait. A travers elle, je voyais tous les possibles, et à travers moi elle ne voyait que moi.

— Mais tout ça, ai-je dit sans réfléchir, c'est ce que tu fais, pas ce que tu sens.

Je la tenais, et je sentis le volcan s'éveiller. Il fallait agir. Si nous ne voulions pas que tout soit détruit pour nous, si nous voulions continuer à jouer et à rire avec insousciance, il ne fallait pas qu'elle aille plus loin. Son aveu ne viendrait pas seul. Il serait suivi, je le devinais, d'une foule d'attentes et de désirs que je ne pourrais pas satisfaire.

— San Marco. Il faut descendre, j'ai dit, si nous voulons manger des bretzels.

— Rachel !

Il y avait de la supplication dans sa voix. J'étais effarée.

— Rachel...

— Quoi, dis-je. C'est si énervant les gens qui se répètent. Je déteste ça.

— Je ferais n'importe quoi pour toi, dit-elle, dans un murmure.

Elle était à bout. Elle n'irait pas plus loin.

— Alors, cours avec moi, dis-je, cours et mange le plus de bretzels possible. D'accord ?

Elle me tourna le dos. C'était la première fois que ça arrivait. Je me rendis compte que je ne le supportais pas.

— Retourne-toi, j'ai dit. Retourne-toi ou je m'en vais.

Elle tint bon. Tout son dos me disait ce que je ne voulais pas entendre. Elle était fière, elle ne céderait pas. Je descendrais seule. Bien. Même si j'en crevais, il fallait le faire.

— Si tu veux faire n'importe quoi pour moi, trouve-toi un amoureux, j'ai dit.

Elle s'est levée, blanche. Nous nous sommes retrouvées sur le pont en même temps. Le matelot avait terminé son service. Il avait enlevé ses gants de cuir et attendait en fumant, appuyé contre la rambarde.

— San Marco ! San Marco !

Je suis descendue. Louria a fait quelques pas sur le pont vers la barrière ouverte. Pendant une seconde, j'ai cru qu'elle me suivrait, et mon cœur a battu la campagne. Mais elle s'est dirigée vers l'homme, et elle a posé sa main à côté de la sienne, en me regardant.

« Il ne peut pas comprendre », j'ai pensé, affolée.

Mais lui, il a jeté son mégot, et il s'est tourné vers elle. Alors que le vaporetto s'éloignait de la berge, je l'ai vu l'enlacer et l'entraîner vers l'arrière.

C'était la circulaire, le vaporetto se dirigeait vers les Zitelle, il n'y avait personne sur le pont, derrière la grande cabine. Il la tenait fermement. Elle continuait à me fixer, sans comprendre ce qui l'attendait, et je me mordis la lèvre jusqu'au sang.

En-fan-ce

I.

Y sont dans la cour.

Y'a des bouteilles cassées, rien que ça. Ils ont crevé un chat. Le chat y pompe plus l'air. Il a tout dégueulé, tout, des crasses, du vert, des morceaux, tout.

J'ose pas le leur dire.

Y regardent le rien. Y font comme ça, y se posent, pis, y regardent le rien.

Le ventre du chat crevé, blanc il est. Blanc savon. Comment il a fait pour garder blanc ? Ses yeux crevés, hein, crevés, y me regarde avec. Ses tripes, ils puent. Tout pue dans cette cour.

— Ça pue, je dis.

Y tressaillent pas. J'avance. J'y suis, devant eux. J'ai avancé jusque-là. Je coince mes mâchoires.

C'est la première fois que j'y descends, dans cette cour. De près, poubelles, y sont, les trois. Trois, y sont. Et moi, tout seul devant eux. Danger. Y sont danger, les poubelles. Y'a une semaine, ils ont crevé la sœur à Viti.

— Bonjour, je dis.

Les trois, y chuintent. Un, grand, avec du pourri dans la bouche. L'autre, petit, un doigt en moins. Pis, le chemise rouge, qu'a l'air taré.

— C'est pour moi que vous chuintez ? j'ai dit. Y'a pas de raison. Chu aussi fort qu'un autre. J'veux faire partie de la bande, j'ai dit.

Silence.

Y sortent leur attirail. Du métal à blesser. C'est pour ma figure. Y vont me saccager, si je bouge pas.

Je bouge.

— T'as qu'à voir, je dis.

Je sors un briquet, pis une gourde. De la super-verte. Piquée aux tôles qui garent au supermarché. Chu spécialiste de la sucette aux réservoirs. C'est moi qui fournis toutes les bagnoles du quartier. Essence, y me surnomment. Super-Verte, pasque c'est que celle-là que j'y suce.

— Oh, y fait Bouche de Merde. Oh, défonce-toi, Super-Verte, défonce-toi, Léa, ou j'te perce.

Y pointe sa lame vers ma face.

— T'en fais pas que si j'te perce, tu vas juter, ma beauté.

Poubelles. Poubelles y sont. Si ma mère me voit avec eux, elle me tue.

— J'agis, espèce d'impatient, je dis.

Pis d'un seul coup, j'arrose le chat. Super-verte. Briquet. J'y fous le feu au chat crevé, à ses boyaux, à ses absences. C'est beau, presque. Y flambe comme un roi. Crématé, il est. Fini les mouches. Fumée, il devient. Fumée, odeur de fumée de graisse de poils.

— Qu'est-ce que tu fous ? y piaule Chemise Rouge.

— J'veux faire partie de la bande, j'ai dit.

Y savent plus. Egarés, y sont. Y toussent. Bouche Puante, y vient derrière moi. Y me frappe, dans le dos, sur la colonne.

— T'as mal, Léa ?

— T'es fou, j'ai dit. Je sens rien.

— T'as mal, y dit.

Danger. Lui qui s'est posé derrière, les deux autres devant. A peine j'ai pu leur parler, chu en sandwich déjà.

— Con, je dis. Personne, y frappe plus dur que ma mère. Même le salaud du quatrième. Même mon père. Quand y me voit en déconfiture, mon père, y ferme la porte de ma chambre. Y dit rien. Y me défend jamais. Y croit que c'est déjà tout ça qu'il prend pas lui, sur sa gueule.

Y se décident. Ça se voit à Chemise Rouge qui range son attirail. Sui au doigt en moins, y vient me pousser.

— Avance, pédé, y dit.

Y dit pédé et c'est lui qu'est comme une fille, avec des socquettes dans ses sandales.

J'avance.

Y me font pas la trouille. J'ai les genoux comme de la merde, mais j'ai pas la trouille. C'est juste la nouveauté qui fait ça. D'habitude, chu toujours seul. Je lis des livres. Y le savent pas. Faut pas le leur dire. Chais pas la raison, mais faut pas le leur dire.

— T'es prêt à nous suivre ? y demande Sans Dents.

Il a pas de dents. Seulement du pourri dans le fond de la bouche.

— Où qu'on va ? je demande.

Chemise Rouge, y se fâche. Y prend une crevure de bouteille. Y me la passe derrière l'oreille.

— Tu veux rentrer dans la bande, Léa ?

— T'es taré. Lâche-moi, j'ai dit.

— Si tu veux rentrer dans la bande, tu nous suis et TU FERMES TA GUEULE.

Y me poussent vers le hangar qu'est derrière la cour.
Je bouge.

Y m'ont pas encore percé. C'est mes jambes qui décident d'y aller. Le reste veut pas, on dirait.

Où y me mènent, chais pas. A quoi faire, surtout.

C'est scierie, le hangar. Toute la journée, le bois y pousse des cris. C'est la musique de l'endroit. Et ça sent. Ça sent pour garder le nez dessus. Ça sent les larmes des bois. Transparentes et elles collent, les larmes des bois. T'as qu'à voir comme elles collent.

Doigt en Moins, y me tire par les cheveux.

— Conne, y dit. Tu veux faire partie de la bande, tu passes en dessous de ça.

Y pointe la scie. La scie ronde.

Y'a personne dans les environs.

La scie, elle tourne à toute vitesse. Elle est blanche de tourner. Je dois passer en dessous. Y veulent que je passe en dessous.

— Y'a pas la place, j'ai dit.

— Y'a juste la place, y dit Chemise Rouge. Tu décolles pas d'un cheveu et t'as la place.

Qui chuinte ?

Y chuintent, derrière mon dos, mais c'est pas ça. J'veux faire partie de la bande. Y faut que je m'écrase.

Je m'aplatis.

Chu collé au parterre. J'avance comme ça, c'est le bout de mes ongles qui me tire. Je sue. C'est tout de l'eau en dessous.

Il est long, le parterre. Immense, il est. Chu dans un temps sans fin. Je mouille les restes des bois. Mou, chu. Trop petit, chu. La scie, elle fait du vent dans mon dos. C'est comme de la glace qui s'empile. Amen. Je chie, presque.

« Avance », y dit. C'est le cerveau, en loque.

« Avance », mais pour bouger, rien.

« Qu'est-ce que ch'fais ? » — « Oh, dis-moi. » — « Avance. Avance, t'es sous la lame. » — « Mais chu mort. » — « T'es pas mort. »

— Je vais relever la tête, je dis.

— T'es fou, y gerbent, les poubelles. Eh, merde, t'es cinglée, eh !

Je pose ma tête sur un côté. Elle est là, cette pute de couteau. Blanche, soleil sur mon œil gauche. Le droit y merde dans la poussière. J'ouvre la bouche. Je pleure de trouille. J'avale l'air chaud de la lame et plein de la poussière jaune qu'y trimballe. C'est beau. Je recommencerai jamais.

— Mais merde, y font les poubelles. Bouge pas la tête, bouge surtout pas.

Y me tirent. Par les pieds, y veulent me reprendre. Je sonne avec mon corps, un son terrible. Même le couteau se tait pendant que je sonne. Y me lâchent. Ch'passerai. Ça prendra le temps de l'éternité, mais ch'passerai. J'arrache tous mes ongles. Chu sorti. Y'a rien qu'est perdu sauf mon basket. Coupé. Y'a rien à dire. Y se recousera jamais.

Les poubelles, y me zieutent. Y me croient fou. « Elle est folle, Léa », y pensent.

Y vont pas me prendre dans la bande ?

— J'ai arrosé le chat pour rire, je dis.

Y sont pas tranquilles.

— Chu passé sous la lame, je dis. Chu même resté en dessous.

Y dorment ? Leurs figures restent sèches. C'est pas des morts, pourtant.

— Chu avec vous ?

— O.K., y dit, Bouche Puante. O.K., tu fais partie.

Y prend une lame. Y me tranche une croix sur la cuisse. Je souris pas, mais rien d'autre non plus.

— Milo, Riva, Fabri, et Léa, y dit. Léa, Fabri, Riva, et Milo. La bande, c'est sacré. Suce ton sang.

Je suce. J'aime son goût à mon sang. C'est pas que je mange. On mange tous rien, par ici. Eux, oui. Y sont presque pas maigres.

— Tu bouffes, toi, je dis à Bouche Puante, le Sans Dents. Tu bouffes où ? Tu vas me montrer ?

— Sûr, y dit. Ramasse-toi.

II.

Y dégagent dans la rue.

J'aime pas la rue. Y sont pas comme nous, ceux qui vont là. Y sont blanc savon.

Nous, on s'avance et y s'écartent, les propres. Y font semblant de pas nous voir.

Eh, vivants, on est. Pas chiens, tout de même.

Les propres, y marchent pas où on marche. C'est du souillé pour leurs semelles.

J'ai la rage quand y font ça. Plus tard, j'prends un kalachnikov. De la super-verte, je prends, et j'les fait cramer, les propres. Saigner cramer un feu du ciel je f'rais. Y pourront pleurer, alors. Aïe ! Non, y faut pas faire ça.

Plus tard, je me déguise comme eux. Je marche, et personne dit mot, personne se bouche la pistache.

Je lis les livres. Personne le sait. Les livres, c'est caché. Le père ignore. La mère ignore. Elle trouve rien, la mère. Elle s'assit dessus, des fois, sur les livres. Mais elle trouve rien.

La mère regarde son intérieur. C'est secondes et secondes, puis minutes, et heures, et vie, pour regarder son intérieur. Et dedans, c'est noir crasse putain. Elle crampe et elle gueule, tellement c'est noir.

Elle gueule, elle geint, pis elle vient renifler mon réveil. Moi j'ouvre l'œil et je la reçois, la raclée. Moi, matin, c'est tonnerre et coups.

Se retenir, non. Elle se lâche, sur moi. Chu son urinoir à humeur. Recroquevillée sous moi, chu. Sans douceur, chu.

M'en fous. Depuis petit, ch'pleure plus.

Une fin d'après-midi, avant le retour du père, pardon elle a demandé, la mère. Pardon à genoux.

Pardon, pardon, Léa.

J'y ai rien riposté.

III.

Finie la rue ? On passe derrière un immeuble. C'est pourriture et sacs crevés.

A travers dépotoir, y crossent, les poubelles.

— Raccourci, y fait Milo, le Sans Dents.

Y se battent. D'un à l'autre, y se passent les coups. Du coin de l'œil, y me surveillent.

— Eh, y dit Doigt en Moins, on t'amène à la bouffe, mais c'est toi qui te mouilles, O.K. ?

— O.K., j'ai dit. Tu vas voir. J'te ramène tout et plus.

Y chuintent.

Eux et moi, c'est pas la même race. Mal à l'aise chu, à côté de leurs divagations. Mais j'veux bouffer. Quoi ? N'importe. Des croûtes, des trognons.

Où c'est qui trouvent ? Y sont gras comme vache qui pisse. Les plus gras du quartier, y sont.

Des temps et des temps, j'ai été derrière. Ma banque, elle rapportait plus. La vieille, elle glissait pu de billets sous la statue du Christ. Avant, oui. Avant, des cent et des cinquante, elle glissait. Pis plus rien. Craquée, la vieille. Elle avait foutu le feu à sa maison.

— Y vont venir, elle disait. Enfants que j'ai faits. Maintenant, y vont venir me voir.

La maison, elle a cramé. La vieille se chauffait aux flammes. En délire. Excitée.

— Y vont venir, mes enfants, elle disait. Avec ça, y seront obligés.

— C'est quoi, comme vie, sans eux ? elle disait. Trois, j'en ai fait. Y m'ont oubliée ? C'est pasque j'ai pas voulu déménager, elle disait. Y veulent pu voir l'endroit où y crapotaient petits. Quartier de merde, elle hurlait. Trous à merde !

Ça cramait lentement. Rien, il allait lui rester. Nous, on s'émouvait pas. Qui c'est qu'a quelque chose ? C'est pour tout perdre, nous. Donne et donne et pis rien y reste.

— C'est ma maison ? elle disait la vieille. Et mon argent ? Où il est, mon argent ? Et mes petits ? Où ils sont ?

C'est mon anniversaire, elle disait. Y faut mettre des bougies sur le gâteau.

Après, fini. Ambulance.

Le Christ, il est resté sans billets.

C'était ma banque, la vieille. Des cent et des cinquante, elle mettait. Du pain, des saucisses en boîte, du fromage qui fond. Après, pour bouffer, y restait pu que les poubelles.

IV.

— Ho ! y dit, Doigt en Moins. Ho !

Et Bouche Puante, y me bourre du poing.

— Ho ! t'as fini de siester, crevure ?

Je dormais.

Ça vient, des fois. Je dors en marchant. Je pense. Je vois des rêves. Chu tout seul dans la maison. Y fait calme. Ma mère, elle dort. Dans la cuisine, sous l'armoire à cafards, y'a un couteau qui brille. Avec, je me coupe, pis je la coupe.

— Ho ! y dit, Chemise Rouge. Ici, c'est terminus. La bouffe, c'est devant. T'y vas ou tu piles ?

Où on est ? J'ai rien vu. Depuis matelas et pneus et sacs crevés, j'ai pensé à la vieille et j'ai rien vu des endroits où je posais les pieds. Aïe. J'aime pas ça quand mes yeux ont plus rien à voir avec ma tête.

— Où on est ?

— C'est la maison des fèves, y crachent. T'y vas ? Où tu veux qu'on danse la saint-gliglin pour qu'on nous voie encore mieux, ici, au milieu de la rue, comme des lumières ?

Si la bouffe, elle est chez les fèves, j'veux pas y aller.

Les fèves, c'est des grosses gens toutes blanches. Mon père, y gardait leur maison quand elle était en chantier.

Les gardes de mon père, c'est des images. Y trimballe une télévision miniature dans sa sacoche. Y connaît plein de films par cœur : *Les Araignées de l'enfer, Né pour tuer, La Ronde des morts-vivants, Malédiction.*

Des fois, je l'accompagne. Avec la télé, des cris t'entends dans la boue, de loin.

Chez les fèves, j'me suis penché vers le fond du trou, vers les fon-da-tions. Dans le noir, on voyait que dalle, un peu d'eau. J'ai refait les cris de l'enfer rien que pour eux.

« Aaa-aaa-gh. A-a-a-a-a-gh ! »

La boue, je visais. La merde. En gueulant, jusqu'aux fon-da-tions, j'ai été.

Les fèves, ils habitent sur des cris dans la boue. Peut-être y le savent pas.

— J'veux pas aller chez les fèves, j'ai dit.

Y s'énervent. Danger. Le taré, Chemise Rouge, y morve presque.

— La bouffe, elle-y-est.

Lequel qu'a parlé ? Chu perdu, encore ? Je les regarde, fixe. Sans Dents, Chemise Rouge, Manque un Doigt. Ma tête, elle éclate. C'est la spéciale-verte. Les temps qu'il me faut pour reconnaître les personnes. Mes yeux, y peuvent pu. Y s'enfoncent dans la terre.

— C'est moi qui lis les livres, je dis.

— T'Y VAS ?

Pue de la Bouche, y me frappe.

T'as qu'à voir. Je lui retourne une tête, dans ses rognons. Y plie et y dégueule sur ses pieds.

Faut pas qu'on me cherche.

— J'y vais où ? je dis.

Y sortent un sac en plastique.

— T'as vu la maison, Léa ? Derrière, sur la terrasse, y'a une niche à chats. C'est ça qu'on veut, la bouffe des chats. Tu remplis le sac, y disent, après, on fait fifty-fifty.

Je bouge.

Je crosse une herbe. Tondue à ras, l'herbe. Du ga-zon.

La terrasse c'est loin.

Y'a pas de fenêtres du côté où chu. Sans fenêtre, personne me voit ?

J'avance comme ça, le cul par terre, presque. Les genoux devant, les fesses sur le cul. J'arrête, tiens. Dis. Chu plus sale que l'herbe des fèves ? J'me sens. Pourrie. Pourrie à puer, chu. Ailleurs c'est rien. Mais ici, à cause de l'odeur de vert. A cause de l'eau sur l'herbe, on sent tout. Là où l'eau elle me touche, toute la crasse de mon corps pue.

J'arrache des herbes.

Arrache, arrache.

Je frotte mes genoux, mes jambes, tout. J'enlève les t-shirts. Je frotte mon cou, mon sein, mon nombril, mon entre-deux, pis les fesses, pis le dos.

Après c'est mieux ?

Après, blanc et vert, chu. C'est les traces de ga-zon.

J'ai une peur.

Le sac en plastique. Perdu ? Je fouille. T-shirts. Ga-zon. Des fois la vie c'est trop mou. Je sue sur moi. L'herbe coupée, elle me colle en beauté, presque. Et pis ça crisse. Le sac. Il était entre mes jambes.

— Pourquoi chu là ? je dis.

Le ciel est très grand. Grand comme un camion. Y me roule dessus. La bouffe. Les chats. J'ai tout perdu dans ma tête, encore ? J'ai faim. Pour voir, je goûte à l'herbe. C'est dégueulasse.

— T'as qu'à voir, je dis, quand j'y retourne.

Y sont énervés, les poubelles.

Bouche à Merde, Doigt Foutu, Chemise Rouge. Y sont crissés d'attendre. Y sont restés au milieu de la rue, comme des piquets à téléphone.

— T'as qu'à voir.

Vert, chu.

Blanc, vert, noir, rouge. Peau blanche, vert ga-zon, crasse noire, rouge sang.

— Mais cette conne. T'as pas pété les chats ? y fait, Bouche à l'Egout.

Y me pince à l'épaule.

— C'est quoi, ce rouge ? Qu'est-ce t'as foutu ?

Y grappille le sac en plastique. C'est plein à ras. La viande, elle dégouline.

— Merde, du amburgère, y dit.

Y s'en goinfre un morceau.

Y goinfrent, tous les trois.

Et moi ? Moi, chu assis. Je remets mes t-shirts.

— L'herbe, le ga-zon, il était fraîche, je dis.

Question que c'est moi qui me suis fendu le voyage. Le sang de la viande me colle à la peau. Dégueulasse.

J'improvise une toilette, encore.

— Je mangerai rien, j'ai dit.

Y chuintent.

Surtout Chemise Rouge qui s'emporte de joie de bouffer, qui se bourre de amburgère.

Y saute. Y saute autour de moi, on dirait un Indien de télé, un Blanc tourné en rouge.

Y saute, et il hurle, jusqu'à ce qu'on entende le fond de sa voix, et le fond de sa voix, c'est crasse, putain. C'est pas qu'il a l'air taré. C'est ça qu'il est. Taré. Taré du début, de la source.

— Tu ramasses et tu goinfres pas, il hurle. Conne, mais conne. Nous, on n'y va jamais chez les fèves. Les fèves, ils ont un fusil à pompe tellement y trouillent, alors pour nous, c'est jamais. Y'a que toi qu'es assez conne, il hurle, conne à crever, t'es.

— Ta gueule, j'ai dit.

Y s'arrête.

Y va m'assourdir ? Y va chercher son métal, déjà. Taré. Prêt à m'assourdir d'un seul coup. Les yeux sortis. La tête partie, déjà.

— Viens, morflure, y fait. Viens.

Sans Dents et Sans Doigt, y progressent vers une entrée de garage.

C'est la bande. Si j'assourdis le taré, y me respectent. Sinon chu la chiure de tous. Amen. Chemise Rouge, il est plus haut que moi. Plus haut et taré, il est.

— C'est quoi ton vrai nom, taré ?

— Danse sur ton cul, il éructe.

Amen. Pour cogner, y faut la rage. J'ai pas la rage. Y va m'assourdir.

Qui c'est ? Pourquoi je sais pas. Je veux savoir. Qui c'est, lui, le taré, Chemise Rouge, l'ordure.

— C'est quoi ton nom ? je dis.

Y ricane.

— Taré, c'est ton nom. Depuis petit, ta mère elle t'appelait Taré, je dis. Elle courait dans les escaliers pour plus que tu chies dans les coins. T'as qu'à m'assourdir si t'essaies, je dis, chrai jamais taré comme toi. Taré du cul, taré du sang. Moi chais lire, c'est ça qui fait toute la différence.

La rage. Y me la faut. Sans la rage, y m'assourdit et je pisse du sang comme un animal.

Je frappe ma tête, mes côtés, mes cuisses. Rien ne vient. Le taré, y s'écroule de rire.

— Elle se frappe ! Elle se frappe ! Hé ! Ho ! Chu au chômage. Je dois plus la toucher. Elle se frappe tout seule.

Manque un Doigt, y m'attrape. Y me serre la nuque.

— T'as peur pasque t'es une fille, Léa. T'as peur pasque c'est ça, ton nom.

La rage, elle monte.

Chu par terre, d'un coup. Le taré est plus en vue. Les deux autres regardent derrière moi. Le taré a fait le tour. Y m'a pris par-derrière.

Ma tête, elle chauffe. Il a cogné dessus. Cogné, dans le dos, comme ma mère. La rage, la vraie rage, c'est.

Maintenant.

Maintenant, j'peux l'assourdir, le réduire à nourrisson. Le casser, le jeter, ch'peux.

— Taré, je crache.

Chu par terre. J'me lance, sur le dos. Y reçoit mes pieds en plein mou. Ça lui fait une drôle de tête.

Après, fragile chu. J'me boule comme une bête qui protégerait ses organes.

Y m'frappe sur le flanc, là où ça éclate en peine brûlante. Amen. Y frappe en grondant. Ses yeux sont blancs, déjà. Il est parti. Si j'me défends pas, y me défoncera. Y restera rien de ma tête.

D'urgence, je me lève.

— Après, je dis, après que je t'aurai touché, tu seras plus rien qu'une éponge. Taré, tu seras plus, je dis. Tu pourras plus penser, plus parler, juste regarder les images bleurres que tes yeux y t'enverront encore.

Y boule vers moi.

Un bulldozer de graisse, c'est. J'me le prends en pleine face. Y tombe et moi avec. La rage. Elle gerbe du fond. Je vois pu rien que le mal qu'elle me fait, ma mère. Je me lâche. J'peux faire ça. Y va payer, le taré.

J'le frappe. Y reçoit mes poings. Des marteaux plein sa figure. Humide, y devient. Ça craque.

Casse-noix, chu. Métal, chu. Dur, oublié, chu.

— Arrête, y fait Bouche qui Pue, arrête, merde.

Y me tire les bras en arrière.

Le taré y pue la trouille. Y tremble. Y a pissé sur lui.

La rage, elle recule pas si vite.

— T'as qu'à voir, je hurle.

Le taré, y chiale. Pas un peu. Même ses os tressaillent. Si peur il a eu.

C'est moi. Chais faire ça mieux que lui. Il a pas tenu.

— C'est bon, y disent, Manque un Doigt et Bouche Pourrie.

Y reculent, avec l'autre qui quenouille. A trois, y sont, et moi tout seul devant eux.

— C'est bon.

Y me zieutent. Y touchent pas à leur attirail.

— Si tu veux, y disent, tu peux être chef de bande.

— Amen, je dis.

— Y'a qu'à te trouver un aut'nom.

Y sont bêtes. C'est des poubelles pures.

— Comment on va t'appeler ?

Je pars. J'ai la nausée d'eux. C'est pas ma race. Je retourne à la cour. J'ai nulle part où aller.

— Eh, y disent. Eh !

— Super-Verte, j'ai dit. Léa, j'ai dit. J'veux pas changer.

V.

La cour chauffe. Soleil. Qui c'est qu'a chaud ? On crève, nous. Ça pue pire que cimetière. Tous les chats qui sont crevés. Y restent au milieu pis rien. Les mouches, elles bouffent les peaux à l'air. Un bruit ça fait. Un bruit jamais arrêté, jamais fini.

Chaud. Et les merdes des immeubles, qui font miroir. Et les cassures de bouteilles. Et les canettes de bière pliées. Et le fleuve, qu'a baissé.

L'eau du quartier, on peut pu la boire.

— Là-haut, c'est quoi ? j'ai dit.

— C'est rien, y répond, Bouche qui Pue. C'est des terrasses que ceux des immeubles ils ont aménagées au-dessus des garages. Fausse herbe, y dit. Fausse herbe, vieux
frigos et cuise-brochettes en alu.

— Et ça, j'ai dit. C'est rien ?

Y se retournent. Y voient la personne, là-haut. Un garçon.

— Qui vous êtes ? il dit, le garçon, avec une bouteille
de coca qui lui balance dans la main.

On n'a regardé que la bouteille. Soif. Le garçon, y marchait sur les terrasses. Comment on allait faire, pour monter ? Sans échelle, sans gouttière.

— Descends, j'ai dit.

Pis rien. A quatre, on le regardait. Un humain qu'habitait les terrasses. Rose, il était. Et nous, noirs. Pas savons.
Noirs de chiennes. Et lui, propre. Sa chemise, elle faisait
un pli à la manche.

— Descends, on va faire connaissance, j'ai dit.

Y s'est reculé. On voyait pu sa ceinture. Pis ses épaules.
Pis sa tête.

— Conne, il a fait, le Sans Dents. Tu l'as effrayé. On le
reverra plus.

— On se tait, j'ai dit. Y va revenir.

— Bonjour, j'ai dit.

A qui bonjour ? Au soleil. A la terrasse qu'on voyait pas.

— Bonjour. On est d'ici, j'ai fait.

Il est revenu.

— D'où ici ? il a dit.

Pas plus loin que la tête, il avançait. Son corps, on n'en
voyait rien.

A quatre, les yeux dans le soleil, on était. Le garçon, y devenait noir, à la fin.

— T'es dans le soleil, j'ai dit. Avance.

Il n'a pas bougé. Chaud. Des forces qui descendaient du ciel pour nous clouer dans la merde. Soif. Il a avancé. On voyait la bouteille de coca, juste.

— Bonjour, j'ai dit.

— C'est quoi ici ? il a demandé.

— La cour, j'ai dit. On est de la cour.

— Ça existe pas, il a dit. Personne vit dans une cour. Chacun d'entre nous a une maison où il rentre le soir.

— Les maisons, c'est parents, j'ai dit. Nous, c'est la cour.

Y voyait pas la cour.

Il a fait un pas. Soif.

Bouche qui Pue, y s'est pris une lame de verre dans les bouteilles cassées. Y s'est mis contre le mur des garages.

Qui c'était, lui, le garçon ? Personne. Un qu'avançait vers nous sans peur. Un animal, c'était. Rien que les animaux, ils avançaient vers nous, et pis au fond des yeux, rien. Et nous, la haine. Et eux rien. Y savaient pas.

C'est ça, l'animal. Un qui sait pas la haine. Et lui, le garçon, pareil. C'était nous qu'avions les yeux bleurres, noirs de soleil. C'était lui, l'aveugle.

— Avance, j'ai dit. On va te montrer la cour.

— Je descends pas, il a fait.

— Sûr. Qu'essekelle dirait, ta mère ? Descends pas, j'ai dit. Avance, juste.

Il serrait sa bouteille. Chemise Rouge, y s'est approché de Bouche qui Pue, collé au mur. Il a grimpé sur ses épaules. Trois en file, y fallait être, pour atteindre les garages. Deux, déjà.

— C'est quoi, là, au milieu ? il a dit.

— Où ?

— Là, au milieu. C'est un tas. On dirait qu'il y a des mouches dessus.

— T'inventes, j'ai dit. T'as vu les pierres cassées ? Ici, on trouve pierres, vitres, murs cassés. Au milieu, c'est du macadam, j'ai dit. Y nous laissent les miettes des maisons et aussi le macadam.

— On construit pas les maisons en macadam, il a dit. On les construit en béton, et le béton, c'est blanc, et là, au milieu, c'est noir.

— Faut que t'avances encore un peu. Tu vas voir, j'ai dit. C'est simple une fois qu'on est plus près.

— Tu veux que je tombe.

Il s'est reculé.

Manque un Doigt rejoint les deux autres. Il était ombre à ombre avec moi. Il disparaît, bizarre pour la personne. Il disparaît, la personne recule, encore.

— Tu peux pas tomber, j'ai dit. Regarde le rebord. Y faudrait être crétin pour tomber. Une fille, y faudrait être. T'es pas une fille ?

— Toi oui, y me dit.

— Moi, oui, je réponds. Chu une fille. Pourquoi, t'aimes pas ça ?

— M'est égal, y dit. J'ai pas d'idées.

— Les filles, c'est pratique, ça raconte des histoires.

— Je vais devoir rentrer, y fait.

— Avant, tu me lances ta bouteille de coca.

— Pourquoi ? J'ai soif, y dit.

Cui-là, c'est pas la cogne qui va l'avoir, c'est la ruse.

— Si tu veux, je te raconte des histoires, je dis. Et quand t'en entends une bonne, tu me lances la bouteille.

Y lampe une gorgée. Un rat, c'est.

— J'écoute, y dit.

— C'est l'histoire de la bande des poubelles, je commence. Y sont trois, pis y'a une fille qui veut rentrer. Alors, la fille, ils la font passer sous une lame de scierie, pour voir si elle aura les couilles. Pis, elle le fait.

— Quelle conne, y dit.

Y lampe encore une gorgée. La bouteille, elle est presque vide. A trois, ça ferait deux coups à téter pis plus rien.

— C'est l'histoire de la bande des poubelles, je dis. Après, y sont quatre, et y vont trouver de quoi bouffer. Leur bouffe, c'est la bouffe des chats des maisons du boulevard, là ouske les chats, y mangent comme les gens. Y'en a trois qui font le guet, pis la fille, elle va chercher la bouffe. Sur le ga-zon, elle se dit qu'elle pue, et elle se lave avec du ga-zon coupé.

— C'est quoi comme histoires, il dit ? Moi, j'aime la télé, quand y a rien de vrai.

Y lampe plus rien. Y me regarde.

— Comment tu te sens ? je dis.

— Il fait chaud.

— J'ai un secret, je dis. Une super-histoire.

Y me croit ? Y va pour la déposer la bouteille, pis il fouille l'ombre des yeux. Les poubelles, y sont restés collés au mur, alors il reprend le coca par le goulot.

— Je lis les livres, je dis. C'est un secret que j'ai trouvé dedans.

— T'es quoi, comme fille ? Elles sont toutes comme toi ?

— Pourquoi ? T'en vois jamais ?

— Mon père, il est capitaine. Je prends mes cours avec lui, jamais à l'école.

— C'est de la chance.

— Les bateaux, y fait. C'est pas terrible. On voit presque pas la mer.

Les trois, y s'agitent. Le Taré coince sa lame de verre. Sa main, elle saigne, déjà.

— Donne-moi ta bouteille, j'ai dit. Vite.

— Et le secret ?

— Le secret, c'est en-fan-ce.

Y s'énerve.

— Tu te fous de moi.

— Lance-moi la bouteille, j'ai dit. Après, ce sera plus facile.

— Non.

— Le secret, c'est en-fan-ce. En-fan-ce, c'est le meilleur. Les livres, y disent tous pareil. En-fan-ce, t'oublies jamais. T'y penses comme au père Noël, j'ai dit. Dès que t'es grand, tu regrettes. Les livres, y disent tous ça, qu'en-fance, c'est le plus beau, qu'y a rien de mieux plus tard. Faut que tu t'en souviennes, j'ai dit, c'est mon secret.

Le Taré, il est monté aux terrasses. Y prend la jambe de la personne, et y taille dedans. Mais rien. L'autre lui envoie sa bouteille à la figure, et s'encourt. C'est tout rapide. On le reverra jamais.

— En-fan-ce, je dis.

Pis rien. J'me pose, comme eux. On regarde le vide. Chaud. Les mouches, elles ouvragent. Plus rien que des chats et des mouches, y'a. Eux trois, les poubelles, y se tirent au supermarché. Je reste toute seule.

Je m'allonge.

Chaud.

Pis j'ouvre les yeux. Y'a une échelle qu'est descendue des terrasses à la cour. C'est une échelle d'alu. Y'a personne autour.

— T'as qu'à voir, je dis.

Et pis, y fait si chaud, le soleil me brasse et je m'endors.

Fugue

J'ENTENDIS un froissement de feuilles et je levai la tête. Elle fouillait la poubelle, à l'extrémité du banc, une poubelle jaune sur pied déjà pleine de serviettes en papier, de canettes de métal et de fleurs fanées.

— J'ai cru que je jetais mon ticket de cinéma, dit-elle, mais c'était mon ticket de train.

Je me replongeai dans ma lecture. A l'époque, les livres étaient pour moi plus importants que les personnes. J'y trouvais plus d'intelligence et moins de criailleries.

— Ce n'est pas mon habitude. Je ne fais jamais ce genre de choses. Mais là, je ne sais pas ce qui m'a pris, je voulais absolument me débarrasser de ce ticket de cinéma.

De quoi parlait le livre, je ne m'en souviens plus. Mais sur le moment, je n'ai pas levé la tête. Je désirais obstinément qu'on me laisse à moi-même. J'essayais de faire respecter partout cet espace de liberté : lire, mon refuge, ma drogue. Peut-être que c'était ça : m'empêcher de lire, c'était m'empêcher de me shooter, et il est dit que personne n'est agréable dans ce genre de cas.

— Est-ce que j'oserais tout sortir ? dit-elle. J'ai absolument besoin de retrouver ce ticket, je n'ai plus d'argent.

Sa voix était remarquable. Posée, presque basse pour une fille de son âge. Une de ces voix qui vous bercent, quoiqu'elle raconte.

— Je vois que vous avez un sachet en plastique, peut-être que je pourrais vous l'emprunter ? J'y mettrais tous ces trucs, en attendant de pouvoir les rejeter.

Le sac en plastique était neuf. Il venait de chez le libraire, comme le livre que je tenais à la main, neuf, lui aussi. C'était un sac sophistiqué, dessus on lisait un poème de Pessoa, imprimé en noir sur fond or. Elle est venue le prendre sur mes genoux, d'une façon naturelle.

— Merci.

Elle avait un sourire communicatif. Des fossettes. Un certain charme se dégageait d'elle, et il m'a fallu un temps pour comprendre que c'était de la beauté. Elle était belle, comme aucun membre de mon entourage ou aucune fille du lycée ne l'était. Ça tenait à une sorte de liberté et de santé, comme si elle n'était pas obligée, comme nous, de rester assise huit heures par jour à suivre des cours, puis encore deux heures à étudier le soir. Elle avait un corps plus libre, une façon plus dansante de marcher. A ce moment-là, j'étais encore innocente, et je croyais que c'était une sorte de fatalité : certaines filles naissaient avec cette espèce de légèreté et d'autres, non.

— Ce que les gens jettent, dit-elle. Ils sont répugnants.

Elle triait anxieusement les déchets, un par un. Le ticket pouvait être collé n'importe où.

— Vous avez vraiment besoin de ce ticket ?

— Je m'appelle Jennifer.

Elle me lança un regard agacé.

— C'était mon ticket de train. Je n'ai pas d'argent pour rentrer.

— Vous pourriez en emprunter.

— Je fais une fugue, dit-elle. Je ne connais personne dans cette ville.

Je repris le livre. Peut-être valait-il mieux la laisser tranquille. Ce n'est pas terrible d'avoir à fouiller une poubelle, mais si quelqu'un vous regarde, c'est probablement encore pire.

— J'habite Stanza. Vous connaissez Stanza ?

— Non, dis-je.

Elle émiettait soigneusement un gâteau abandonné. Toute son attention était consacrée à ce qu'elle faisait. Je pouvais, si j'en avais la curiosité, l'examiner à ma guise. Je glissai un doigt entre les pages du bouquin. J'ai toujours eu cette curiosité-là.

— Mon père est pasteur protestant.

— A Stanza ?

— Oui. C'est son année sabbatique, et il a eu la fabuleuse idée d'écrire à son grand ami Ricardo Leone, qui l'a invité à se joindre à la communauté protestante de Stanza le temps qu'il voudrait. Est-ce que j'ai dit que mon père travaille à l'Université de Boston ?

— Non.

— Alors... mon père est pasteur protestant, originaire de Boston. Il enseigne également à l'Université, d'où l'année sabbatique.

— Mon père est maçon, dis-je.

— Ça, ça me plairait, dit-elle. Toujours un toit sur la tête, et pas de déménagement.

— Pas de voyages non plus.

— Les voyages, dit-elle. De Boston à Stanza, vous parlez d'une partie de plaisir.

— Vous êtes sûre que vous avez jeté votre ticket ? demandai-je.

Elle me foudroya du regard.

— Je m'appelle Lénora, dis-je. Léna. Il y a quelque chose qui dépasse de votre chaussette.

Elle se pencha et attrapa un morceau de carton poinçonné.

— Mon ticket de train, dit-elle. J'avais bien jeté mon ticket de cinéma, comme je pensais.

Le sac en plastique or de la librairie Matta rejoignit les détritus de la poubelle jaune. « J'adore toutes les choses / Et mon cœur est un asile ouvert toute la nuit. » Alvaro de Campos, alias Fernando Pessoa, se confiait pour une après-midi à quelques canettes pliées cernées d'une troupe de roses avachies.

— Les roses de ce parc finissent toutes dans les poubelles, dis-je. Ce sont les amoureux des bureaux qui les jettent. Ils viennent ici le midi et se donnent rendez-vous à la roseraie. Ils s'embrassent dans les niches de verdure, là où personne ne les voit. Puis, après s'être embrassés, ils ne savent plus très bien quoi faire. Lui sort son canif de sa poche. Il coupe deux roses et les lui offre. Elle les respire, comme si l'odeur l'affolait, comme si c'était l'odeur de sa peau, à lui. Après, elle les dépose dans un coin, et ils s'embrassent encore, plus langoureusement. Quand ils s'en vont, ils partent chacun de leur côté. Lui s'en va les mains dans les poches, l'air satisfait. Elle fait un petit détour avant de rentrer, pour jeter les roses dans une poubelle un peu à l'écart des allées. Elle ne peut pas ramener les roses au bureau, parce que les autres, qui sont au courant de tout, trouveraient enfin un prétexte pour lui poser des questions. Elle ne peut pas les ramener chez elle non plus. Son mari se méfierait, ou il pourrait la surprendre à les regarder un peu trop longtemps.

— Tu as de l'imagination, dit-elle.

— C'est comme ça. Si tu ne me crois pas, tu n'as qu'à regarder.

— Je te crois. Les gens sont si égoïstes. Ils coupent les roses, puis ils les jettent, sans réfléchir. Ils ne pensent pas aux autres. Ni au jardinier, ni aux promeneurs, ni à eux, plus tard, et à ce qui leur arriverait si tous les rosiers étaient nus, d'un seul coup. Pour la plupart, le bonheur consiste à agir sans devoir faire face aux conséquences de leurs actes. Si on leur rappelle qu'ils sont responsables, ils deviennent furieux, et s'emportent.

Je lissai la couverture du livre que j'avais acheté. Cette conversation soudaine me déroutait. Elle était plutôt intime, pour deux inconnues. Je ne me sentais pas très à l'aise. Cette fille était bien plus intelligente que moi. Elle était à Rome, une ligne de tram passait à côté du parc... Elle aurait pu aller n'importe où, faire n'importe quoi plutôt que me parler. Ma timidité était si grande que je faillis me lever et la quitter, sans même me retourner, sans même la saluer. Mais ce sentiment de familiarité qu'elle dégageait fut le plus fort, et je lui tendis ma bouteille d'eau, en souriant.

— Tu viens souvent ici ? me demanda-t-elle.

— Tous les jours, dis-je. Je viens lire, et étudier. J'observe ce qui se passe. Chaque partie du parc est comme une ville en soi. Là-bas, dans les ruines, il y a les chats abandonnés, et les vieilles qui viennent leur parler, et leur donner à manger. Plus haut, sur la pelouse, les Noirs qui viennent manger au Secours catholique font la sieste tout l'après-midi. A la roseraie, le midi, il y a les amoureux, et vers quatre heures, les mères de famille. Les étudiants vont plutôt dans la pinède, autour des statues. La vieille de la buvette tyrannise son fils et ses clients, mais elle fait le plein à cause des glaces et des apéritifs. La fontaine est le domaine de ceux qui font du skate. Un jour, un clochard est venu. Tout ce qu'il possédait, il le poussait devant lui, dans un landau. Il a enlevé toutes ses couches, et il s'est mis nu. Puis, il a pris une brique de savon dans le landau, il a enjambé le rebord de la fontaine, et il a commencé à se laver sous le jet. Les skaters ont appelé les flics, qui sont venus à deux voitures, sirènes hurlantes, pneus qui grincent, et tout. Ils étaient à dix, armes pointées sur le clochard, à gueuler, et lui, il tremblait parce qu'il avait du savon dans les yeux, il n'y voyait rien, et il n'osait même pas se baisser et ramasser un peu d'eau pour se rincer la figure.

— Comment ça s'est terminé ?

— Ils l'ont emmené, dis-je. Ils ont mis le landau dans une voiture et lui dans l'autre, avec les menottes.

— Ça, ce n'est pas le genre de choses qui arrive à Stanza, dit-elle. Pas du tout du tout du tout. A Stanza, tout ce qui se passe a été programmé par le syndicat d'initiative. La semaine dernière, c'était la campagne de revalorisation du poisson bleu. Il nous en est arrivé des tonnes, du Sud. Il l'ont distribué gratuitement, à la mairie. On a mangé du poisson bleu toute la semaine. Ils trouvent que les pêcheurs ne doivent plus le rejeter à la mer, qu'il doit alimenter la consommation locale.

La fréquentation des autres était si rare pour moi que je la regardais, une foule de questions en tête, m'attendant à ce qu'elle y réponde. Je n'avais jamais rencontré d'Américains, jamais d'étrangers. Je ne savais pas qu'un ton de voix, une manière d'être peuvent provenir d'une culture différente. Elle parlait assez fort, elle me fixait, elle s'était assise sur le banc comme s'il lui appartenait. Je croyais que c'était elle, tout entière, qui était ainsi. Je ne voyais rien d'appris, rien d'importé. Il me semblait que sa personnalité profonde était celle d'une conquérante, d'un être fait pour le monde et devant qui le monde se plie.

— Pourquoi es-tu partie de chez toi ? dis-je.

Elle sourit.

— C'est toi qui fuis ta maison. Tu ne dois pas habiter loin d'ici, pourtant tu viens tous les jours au parc. Moi, je m'emmerde, dit-elle. A Stanza, je me fais chier comme un rat mort. Mais chez moi, entre ma mère et mon père, je me sens bien.

Je n'aimais pas ce qu'elle m'avait dit. Je me remis à lire, mais les mots flottaient dans la chaleur et se refusaient à moi. Deux carabinieri longèrent notre banc. Nous les regardâmes passer. L'un d'eux se retourna et lança une œillade à Jennifer. J'en ressentis de l'humiliation. Je m'asseyais là tous les après-midi, et les hommes ne me faisaient jamais d'avance.

— Les hommes sentent ce qui est mûr pour eux, dit-elle.

Elle lissa mes cheveux du plat de la main.

— Toi, tu dois attendre encore un peu pour qu'ils te regardent.

— C'est comment Boston ?

Elle rejeta la tête en arrière.

— C'est beau, dit-elle, ça te plairait.

Ses épaules se contractèrent et elle frissonna.

— Est-ce que tu as déjà remarqué... ?

Je me tus. Quelque chose me disait qu'elle allait continuer, de toute manière.

— A Stanza, il y a un garçon, il s'appelle Tomaso. Parfois, je regarde à travers les persiennes quand il passe dans la rue. Il fait chaud, il longe les maisons, et moi je suis contre la persienne, tout contre. Il me suffirait de tendre la main pour le toucher. Pourtant, il est plus loin de moi que

Boston. Parce que je n'ai pas la clef, dit-elle. Je ne sais pas comment fonctionne Tomaso. Quand je le croise à la plage, il ne me regarde jamais. Il est un peu comme toi, dit-elle. Absorbé. Sauf qu'il n'a pas de livre entre les mains. Crois-tu que ce soient ses propres pensées qui l'absorbent à ce point ? Je ne voudrais pas qu'il soit un de ceux-là, uniquement préoccupé de lui-même, dit-elle.

Je fis retraite au plus profond de ma honte. Parfois, en plein soleil, je ne me sentais qu'une ombre indigne d'exister. Ce fut le cas, en ce moment précis. Est-ce que je n'étais pas, comme Tomaso, un être entièrement préoccupé de lui-même ? Jamais je ne faisais une démarche pour aller vers les autres, jamais. Pas seulement vers ceux qui me semblaient idylliques, vers ceux qui rayonnaient et à qui tout semblait dû, comme elle. Non, envers les autres, en général, tous les êtres, tous les humains. C'était comme si je n'appartenais pas à leur race, comme si je n'étais pas vivante. Tout en moi était immobilité, paralysie, aveuglement. Seuls mon esprit, et ma langue connectée à mon esprit, jetaient des ponts vers l'extérieur. J'ignorais mon corps, je ne savais même pas qu'il existait. Courir sur la plage, jouer dans la mer, rire et me rouler dans le sable, ce que tout le monde faisait, je le jugeais futile et sans intérêt. Pourquoi perdre son temps, son précieux temps à ce genre de simagrées, alors qu'il y avait Fernando Pessoa ? Malgré moi, je jetai un œil au sac noir et or de la librairie.

— J'ai jeté ton sac, dit-elle. Qu'est-ce qu'il y a d'écrit dessus ? Est-ce que c'est important ?

— « J'adore toutes choses / Et mon cœur est un asile ouvert toute la nuit. »

— C'est mon père, dit-elle. Mon père est comme ça. Son cœur est un asile pour tous, et pourtant, c'est sa tête qui le mène. Je ne sais pas comment il fait. Mon père a une patience, dit-elle. Il a une voix très douce et profonde. Souvent, quand les gens viennent à la maison, je me jette sur le canapé du salon, et j'écoute sa voix qui passe à travers la porte. Je ne comprends pas les mots, mais je suis en paix.

Elle me prit la main, tout à coup, et la serra.

— Regarde comme je te parle de Stanza, dit-elle. Tu vas me faire aimer Stanza ! Je ne pouvais pas faire ça, à Boston. Il n'y avait pas de sieste, pas de moment où la maison est déserte, où je pouvais m'allonger dans la chaleur et guetter le passage de Tomaso dans la pénombre en écoutant la voix de mon père. Oui, dit-elle, oui ! Tu vas me faire aimer Stanza, je le sens.

— Tant mieux, dis-je.

— Est-ce que toi, tu aimes ça ? Est-ce que tu aimes des endroits comme Stanza ?

— Je ne sais pas.

Elle fit une moue. Sa voix devint plus froide.

— C'est curieux, dit-elle. Je t'aurais crue assez intelligente pour savoir ce que tu aimais ou pas.

— Je n'ai jamais été à Stanza, dis-je. Je ne suis jamais sortie de Rome. Ici, c'est une colline, tu vois. L'école est un peu plus loin, et mon immeuble là derrière. Je n'accompagne jamais les autres à la plage, et mon père m'interdit de sortir le soir. Je ne sais pas ce que c'est, Stanza, dis-je. Je ne sais pas à quoi ça ressemble. Je ne peux pas te dire si j'aime une chose ou non quand je n'ai pas la moindre idée de ce que c'est.

— Tu habites l'Italie, et tu n'as jamais été à Florence ?

— Non, je n'ai jamais été à Florence. Ici, à Rome, j'ai été une fois au Testaccio. C'était pour l'enterrement de mon grand-père.

— Venise, Naples, Milan ? dit-elle.

— Non, nulle part, dis-je. Nulle part.

— Mais moi, aux Etats-Unis, j'ai été partout.

— Ce n'est pas pareil pour tout le monde, dis-je. Ici, on peut naître dans un immeuble et mourir vingt numéros plus loin.

— Je ne te crois pas, dit-elle. C'est impossible.

La propriétaire de la buvette passa, et je la saluai. C'était une vieille femme irascible, toujours à crier ou à rouspéter. Pendant longtemps, elle avait balancé mes commandes sur la table, puis un jour j'avais aidé son fils à rédiger un devoir et depuis elle me respectait. Elle jeta un regard oblique sur Jennifer, sur ses jambes nues très haut, sur son visage bronzé parsemé de quelques taches de rousseur. Je crus qu'elle allait froncer les sourcils et lancer une invective contre les étrangers ou les femmes qui ne savent pas s'asseoir et dévoilent tout du premier coup d'œil. Rien de tel n'arriva. Elle se retourna, ses bouteilles de lait à la main, pour me lancer un sourire radieux, un sourire qui fit disparaître ces rides de souci qui l'enlaidissaient. Pendant une seconde, elle parut heureuse.

— *Buon pomeriggio, Léna, buon pomeriggio, signorina*, dit-elle.

— Qui est cette femme ? demanda Jennifer.

— La tenancière de la buvette, là-bas. Tu vois le toit vert ? Elle a un petit bar qui ferme avec des volets métalliques, et une terrasse qu'elle range le soir et qu'elle enchaîne. Ça marche bien. On dit qu'elle est très riche mais elle porte la même robe tout l'été, une robe grise avec un tablier noir par-dessus.

— Tu t'entends bien avec elle.

— Je ne lui parle pas beaucoup, dis-je. De temps en temps, j'aide son fils à faire ses devoirs.

— Tu t'entends bien avec tout le monde.

Elle se tut. Elle songeait. Peut-être à Stanza. Peut-être à Tomaso.

— On peut se parler, dit-elle. Comment ça se fait ?

Je ne comprenais pas ce qu'elle voulait dire. Parfois, elle avait des élans d'enthousiasme, comme si je faisais quelque chose pour elle, alors que j'étais là, simplement, à essayer de la suivre. A nouveau, je songeai à partir. L'intimité que nous partagions allait croissant. Je sentais qu'elle passait un nouveau cap, qu'elle allait m'entraîner plus loin, et ma terreur de la décevoir s'accentuait jusqu'à l'angoisse.

— Quatre heures, dis-je. Les mères vont bientôt arriver.

— Tu as entendu ce que je t'ai dit ?

— Oui, dis-je. Nous pouvons nous parler.

— Comment ça se fait ? demanda-t-elle. Si tu n'es jamais sortie d'ici, comme tu le dis. Et tu n'as jamais eu d'amoureux, ça se voit. Moi oui, dit-elle. Moi, j'ai déjà couché avec un homme. Et je veux Tomaso, dit-elle. Je veux coucher avec Tomaso. Je veux l'avoir à l'intérieur de moi. Tu es choquée ? Je ne veux surtout pas te choquer, dit-elle, mais tu n'as pas vu sa peau. Le sexe de Tomaso est doux comme une pêche, j'en suis si sûre.

J'étais rouge, rouge d'une sensation que je ne connaissais pas. Les proportions du monde que je connaissais se modifiaient au son de cette voix. Une profondeur inconnue surgissait entre les êtres. D'où venait que les amoureux des bureaux s'enlaçaient plus durement après avoir humé les roses ? Pourquoi ma tête tournait-elle si vite alors que je ne savais pas qui était Tomaso, que je ne l'avais jamais vu ?

— Je chante très bien, dit-elle. Nous les protestants, on chante beaucoup, et comme je suis la fille du pasteur... Est-ce que ça te plairait que je te chante quelque chose ?

J'acquiesçai. Je ne parvenais plus à parler. Je pensais à mon lit comme à mon seul refuge. Elle se mit à chanter, une mélodie simple qui m'apaisa. Sa voix dépassait l'allée, et la roseraie, en contrebas. Elle chantait sans effort, les yeux mi-clos. Je compris Stanza soudain, je compris que Stanza était bien trop petit pour elle, et qu'elle ne pourrait pas y rester, et je compris aussi combien ma vie lui paraîtrait petite, que c'était une vie dont elle n'avait pas idée, composée de tourments dont elle n'avait pas idée et que je résolus de lui cacher.

— C'était une ballade, dit-elle, une ballade irlandaise.

Elle me prit le livre des mains. Elle le feuilleta, du début vers la fin, puis de la fin vers le début. Elle ne lisait jamais, c'était évident. Elle entama le résumé de couverture et se mit immédiatement à bâiller.

— Combien de livres lis-tu par mois ? demanda-t-elle.

— Quatre ou cinq par semaine, dis-je.

Elle posa le livre sur le banc, entre nous.

— Quatre ou cinq livres par semaine. Tu es savante. Tu es une femme savante, comme dans les pièces françaises.

Elle rit.

— Si j'avais pensé ça quand je me suis arrêtée.

— Tu t'es arrêtée à cause du ticket, dis-je.

— Aïe, dit-elle, oui, c'est vrai, le ticket.

Un doute troubla cette intimité qui nous avait liées. Pourquoi s'était-elle adressée à moi ?

— Tu ressembles à Tomaso, dit-elle. Tu as le même nez que lui, et la même façon de courber les épaules. J'ai besoin de son amour. Quand je t'ai vue, j'ai pensé que tu pourrais me donner la clef. Bien entendu, je sais que c'est stupide, mais j'avais tellement envie d'essayer. J'ai de l'argent.

Elle tira une liasse de billets de sa poche.

— J'ai de l'argent, et mes parents savent que je suis ici, je viens prendre un cours de perfectionnement en italien tous les vendredis. J'ai voulu inventer cette histoire pour t'épater, dit-elle. Tu as vu ? J'ai même mis les mains dans ce gâteau immonde, tout ça pour t'épater.

La magie de sa voix n'opérait plus. Une bulle de savon magnifique éclata dans ma poitrine. Un trou noir la remplaça.

— Alors ce n'est pas pour moi que tu t'es arrêtée, mais pour Tomaso, dis-je.

— Bien entendu, dit-elle, puisque je ne te connaissais pas.

C'était vrai, c'était réel, c'était logique. Pourtant, je fus incapable de l'accepter. Je me levai d'un bloc et partis devant moi.

— Eh, mais attends, dit-elle, attends. Qu'est-ce qui se passe ? J'ai dit quelque chose de mal ? Léna, dit-elle. Léna, parle-moi. Est-ce que tu veux que je rapporte quelque chose de Stanza vendredi prochain ? Un coquillage. Un de ceux qui vous font entendre la mer. Je les adore ceux-là. J'en fais collection. Je te ramènerai le plus beau.

Je me retournai, émue. Elle s'avança et m'embrassa doucement sur la joue.

— D'accord ? On fait la paix ? Si j'ai le temps, je reviens vendredi prochain.

Elle s'en alla. Au milieu de l'allée, elle courait déjà. Les gens qu'elle croisait se retournaient sur son passage, puis ils me regardaient parce qu'elle criait encore, sans se retourner :

— Au revoir, Léna ! *Behave yourself* !

Elle ne revint pas. Le chagrin que je ressentis me submergea toute la semaine suivante. Je compris que j'avais perdu quelque chose, qu'on m'avait tendu une perche, et que je ne l'avais pas saisie. Je cherchais à parler, désormais, et je n'y parvenais pas. Je m'aperçus qu'en classe, la plupart du temps, les gens ne comprenaient pas ce que je disais. Ils étaient gentils avec moi, m'empruntaient mes cours et me laissaient tranquille. Mais ce n'était pas tant parce que je passais les heures de récréation le nez dans mes livres. C'était parce que mes préoccupations n'avaient rien de commun avec les leurs. Les sujets qui me passionnaient le plus leur étaient étrangers. Je prononçais des phrases qui dressaient pour eux de beaux décors vides de sens. Au mieux, je récoltais de mes approches quelques sourires polis. Au pire, des sarcasmes. Bien qu'ils habitent le même quartier, fassent le même trajet et partagent la même nourriture, j'étais plus différente d'eux que de Jennifer. Je tremblais. Cette entente, que j'avais eue avec elle, je ne la retrouverais peut-être plus jamais. Alors, que m'arriverait-il ? Car avant, je vivais dans un silo de solitude, et m'en contentais. Désormais, ce n'était plus possible. Quelqu'un m'avait offert asile. Quelqu'un qui adorait toutes choses, et parmi elles Tomaso, et parmi elles, moi, si je n'avais pas été aussi obtuse. Je résolus de la retrouver.

Le mercredi qui suivit, je me levai à l'aube. L'appartement que nous habitions était petit, mais très lumineux. Je dormais sur un lit pliant, dans l'entrée. Je me glissai jusqu'à la cuisine et entrepris de déloger une vieille boîte à thé dans laquelle ma mère conservait ses économies. Je pris quelques billets. Ça me semblait une somme folle, mais je n'avais pas la moindre idée du prix d'un billet aller-retour pour Stanza. Je me recouchai aussi vite, grelottante d'avoir posé les pieds sur le dallage encore froid. Ma mère se leva immédiatement. J'avais posé les billets sous mon oreiller. Je voulais feindre de dormir et n'y parvenais pas. Quand ma mère traversa le hall, elle heurta le montant de mon lit qui était pourtant à la même place que d'habitude. Elle ne dit rien tout d'abord, se frotta simplement la jambe, mais quand elle me vit allongée, les yeux grands ouverts, elle se mit à crier.

— Tu l'as fait exprès ? Tu veux que ta mère se casse la jambe ? Lève-toi tout de suite. Lève-toi et prépare le café au lieu d'essayer de me défigurer.

Je ne voulais pas me lever, à cause des billets. Me lever signifiait replier mon lit, et j'avais peur que la liasse tombe à mes pieds, dans le hall, et se répande partout. Si ma mère découvrait que je l'avais volée, j'étais bonne pour aller travailler chez la fleuriste, au marché.

— Je me lève, dis-je. Tout de suite.

— Devant moi, dit-elle. Va préparer le café, et ne te trompe pas dans la mouture. Je ne veux pas de la lavasse que tu nous fais d'habitude. Bonne à rien, marmonna-t-elle. Toute la journée dans ses foutus livres. Autant lui couper les bras pour ce qu'elle en use.

Elle s'éloigna. Une autre pensée devait lui avoir traversé l'esprit, et c'était maintenant celle-là qu'elle suivait. Je fourrai les billets de banque dans mon cartable et le serrai contre moi.

Le vacarme était insoutenable. On aurait dit que chaque voix, chaque tintement de cuillère, bruit de pas, conversation téléphonique, arrimage de wagon, passage de voiturette à bagages, se répercutait sous la voûte de Roma Termini. Que les gens crient ou chuchotent, le résultat revenait au même : leur conversation s'élevait et s'en allait bruisser sous la voûte, en compagnie de milliers d'autres bruits. J'en fus abasourdie. Je restais plantée là, au milieu du hall, à ne savoir que faire. Puis, petit à petit, le vacarme s'estompa. Le carrousel de centaines de visages, de corps, s'atténua lui aussi, et je pus avancer. Quelque chose me manquait, je me sentais nue, puis je m'aperçus que je m'avançais sans un livre à la main ou plaqué sur la poitrine. En fait, je pouvais tout faire de la seule main droite : la gauche me servait toujours à garder une page, ou à les tourner. Mais aujourd'hui, je n'avais pas besoin de ça. C'était une journée exceptionnelle. J'allais à Stanza, et le monde me frappait de plein fouet. Les sons et les corps m'emplissaient la poitrine, et j'aimais ça.

Je me dirigeai vers les guichets et me glissai dans une file. Je n'avais jamais voyagé, mais si voyager consistait à ne pas savoir ce qui allait se passer la minute suivante, alors ça me plaisait beaucoup. Je voyais des hommes et des femmes affairés se tromper de guichet, aller, revenir, compter et recompter leurs bagages. Ceux-là étaient faits pour rester chez eux. Moi, non. L'idée de partir me faisait décoller. Je savais où aller et quoi faire, sans avoir jamais appris. Je me calai dans le train pour Stanza, le cœur gonflé à bloc. J'étais en deuxième, sur une banquette rembourrée, mes pieds touchaient à peine terre, et mon compartiment se remplissait peu à peu. Au bout d'un quart d'heure, j'entendis un coup de sifflet et le train démarra.

Pendant la première partie du trajet, j'oubliai que j'allais chercher Jennifer. J'étais assommée par la nouveauté des images qui défilaient, par l'air qui pénétrait dans le compartiment à travers les fenêtres ouvertes, par tant de corps bronzés et désinvoltes qui mangeaient et riaient à côté de moi. Puis, je vis la mer. D'abord, je ne compris pas de quoi il s'agissait. Le paysage devenait bleu, c'était complètement irréel. Dans le quartier, on bâchait les immeubles à repeindre, et ma première idée fut qu'on avait bâché la campagne. Ou qu'un fou avait planté des centaines de miroirs. C'était si angoissant que je me retournai vers les autres et qu'ils se turent.

— Qu'est-ce que c'est ? dis-je.

— C'est la mer, dit l'une des filles.

Ils me sourirent tous, et me forcèrent à boire une cannette de soda. L'un d'eux prit le livre qui dépassait de mon cartable et en lut le titre : *Le Gardien de troupeaux*, Fernando Pessoa.

— C'est toi qui lis ça ? me demanda-t-il.

— Oui, dis-je.

Il piqua une page au hasard et lut à voix haute :

— « Haut dans le ciel est la lune printanière./Je pense à toi, et complet je m'éprouve. »

Il avait parlé comme s'il s'adressait à quelqu'un. Ils se mirent tous à rire. Ils regardaient l'une des filles. Elle rougit et frappa la banquette du pied.

— Oh, dit-elle, vous êtes exaspérants. Je ne lui ai pas dit oui, et je ne lui ai pas dit non. Je ne veux pas me décider tout de suite, c'est tout.

Lui ne la regardait pas, il avait un sourire en coin. Il me rendit le livre.

— Tu comprends ce qu'il dit ?

— Il faut d'abord le sentir, dis-je. On comprend plus tard, petit à petit. Certaines choses, on les comprend tout de suite, et d'autres jamais.

Il se frotta les yeux et la barbe.

— Hum, hum, dit-il. Où vas-tu, petite fille ?

— A Stanza, dis-je.

Ils me sourirent encore et reprirent leur conversation.

La gare de Stanza était blanche. Presque personne ne descendit sur le quai. Je pris un tunnel et me retrouvai à l'air libre. Stanza ne ressemblait pas à Rome. Il n'y avait pas beaucoup de voitures et les rues semblaient désertes. On n'entendait pas de klaxons, pas de cris, pas de bus qui démarre. J'avançais entre les jardins défendus par des haies et des clôtures. Au coin d'une rue, je croisai une vieille femme qui marchait péniblement.

— La communauté protestante ?

— Il faut aller sur la place, grogna-t-elle. A partir de la place, y'a des panneaux.

Elle continua son chemin, et je me retrouvai à errer. D'un seul coup, les maisons étaient plus hautes et possédaient des piscines. L'eau des piscines brillait au soleil, mais personne ne nageait. Je voyais parfois des chaises longues et des serviettes abandonnées, mais pas d'être humain. C'était l'heure de la sieste, je le savais, mais à Rome, même pendant la sieste, on croisait des gens dans la rue ou aux terrasses des cafés. A Stanza, la sieste frappait comme la peste, il ne restait plus un mortel sur pied.

Quand j'arrivai sur la place, les cafés étaient fermés. Deux palmiers donnaient de l'ombre, et je m'assis quelques minutes. Le panneau « Communauté protestante de Stanza » avait été accroché sous celui indiquant la direction « Mer », mais les flèches ne pointaient pas dans la même direction. Je repris ma quête. D'entre les persiennes, j'entendais parfois filtrer un air de radio ou une conversation. Si c'était une voix d'homme, je m'attardais. Peut-être que le visage de Jennifer se trouvait de l'autre côté du volet, à guetter Tomaso. Mais les voix qui résonnaient dans la chaleur de l'après-midi étaient toujours italiennes, toujours prosaïques, et jamais je n'entendais la voix grave et chantante du pasteur.

Après trois flèches noires et blanches, dont les deux dernières ne portaient plus que des initiales : « C.P. de Stanza », je me retrouvai devant une grande bâtisse précédée d'un jardin. A côté de la grille fermée, un petit morceau de papier précisait : « Sonnez et entrez. » J'appuyai sur la sonnette et un déclic se produisit. Je me laissai aller de tout mon poids contre la grille. Où était Jennifer ? Etait-ce possible qu'elle habite là ? Est-ce que j'allais la voir bientôt ? L'après-midi s'écoulait, et je ne voulais pas rentrer sans l'avoir vue. Le train avait pris deux heures pour faire le trajet, et si je n'en reprenais pas un autre dans les deux heures qui suivaient, j'étais bonne pour le marché et vendre des roses, et fini l'école.

Je pénétrai dans un grand hall de marbre noir et vert. Une femme était assise à un bureau, au fond.

— *Yes* ? dit-elle.

— Bonjour, dis-je.

— *Yes*.

C'était une femme en tailleur trop serré. Elle avait de petites mains et de hauts talons. Elle n'était pas aimable et elle aimait le faire sentir.

— Je voudrais voir Jennifer, dis-je.

— *Who* ?

— Jennifer.

— *Jennifer who* ?

— Je ne connais pas son nom de famille, dis-je. C'est la fille d'un pasteur qui vient de Boston.

— Alors elle ne fait pas partie de la communauté protestante de Stanza, dit-elle. Je n'ai pas son adresse. Je n'ai que l'adresse des pasteurs de la communauté.

— Mais vous savez qui l'a invité ? dis-je. Vous savez quel pasteur de Stanza a invité le pasteur de Boston...

— Je suis désolée, dit-elle. *Sorry*. Je ne suis pas au courant.

Elle glissa une feuille de papier dans sa machine à écrire électronique.

— Il faut partir, dit-elle. Je dois travailler.

Dehors, le soleil frappait, le soleil écrasait Stanza, et Stanza courbait la tête. Je ne savais plus quoi faire. Il m'arrivait souvent d'être ainsi, flottante, indécise. Je m'en remettais alors à une espèce de sixième sens, à une voix intérieure qui me dictait des gestes précis. « Va voir la mer », pensais-je. « Peut-être qu'elle sera sur la plage. »

Je repris la rue en sens inverse. Il fallait marcher, marcher encore. J'aimais ça, d'ordinaire, parce que c'était Rome, parce qu'à chaque pas, il y avait quelque chose à voir ou à écouter. Ici, mon corps s'alourdissait et mes yeux se fermaient malgré moi. La sieste planait dans l'air de Stanza. Seulement le respirer vous rendait somnolent.

Que faisait Jennifer, en ce moment ? Où était-elle ? Etait-ce possible de ne pas retrouver quelqu'un dans un village si petit ? J'avais cru que ce serait facile. Ce qui m'avait effrayée, c'était la perspective de voler l'argent, de prendre le train, pas Stanza. A Stanza, m'étais-je dit, tout se passerait sans difficulté.

De nouvelles rues défilèrent, parcourues d'un souffle différent, d'une luminosité intense. Au bout de l'une d'elles, j'aperçus le bleu du train. C'était une surface changeante, sans cesse en mouvement. J'avais vu la mer à la télévision, mais ce n'était pas comparable. Il n'y avait rien de comparable à la mer, maintenant que je pouvais avancer vers elle, m'y baigner, si je voulais.

J'avançai jusqu'à la lisière du sable. Là, j'enlevai mes sandales. Le sable était brûlant. Je courus jusqu'à l'eau aussi vite que je pouvais. La plage était déserte sauf quelques garçons, au loin, qui jouaient au ballon.

Je mis mes pieds dans l'eau. J'appartenais à la mer tout entière. C'était une passion qui venait de naître et qui ne s'éteindrait plus. A chaque fois que je le pourrais, je reviendrais auprès de l'eau en mouvement, et je la laisserais glisser sur mes chevilles.

Des cris me rappelèrent que j'étais à Stanza, parce que c'étaient les premiers cris que j'y entendais. L'un des garçons poussait la balle dans l'eau, et les deux autres s'y précipitaient à la suite. « Tomaso », pensai-je. Car Tomaso était bien l'un de ceux qui ne faisaient pas la sieste à Stanza. Pendant que les autres dormaient, lui se glissait le long des murs blancs des ruelles et affolait Jennifer.

Je marchai dans l'eau. Elle allait et refluait sur mes pieds, et d'une certaine manière, c'était comme une caresse.

« Je suis un gardien de troupeaux. / Le troupeau ce sont mes pensées / et mes pensées sont toutes des sensations. / Je pense avec les yeux et avec les oreilles / et avec les mains et avec les pieds / et avec le nez et avec la bouche. »

J'étais devant les trois garçons. Ils étaient quasiment nus et je n'avais pas de frères. J'avais vu mon père nu, dans tous ses états, mais ce n'était pas la même chose. Même si le sexe de mon père était un sexe d'homme, le corps de mon père n'était pas un corps pour moi. C'était un lieu de violence et de terreur.

— Bonjour, j'ai dit.

Je n'avais pas peur d'eux. Fallait-il avoir peur ? Je n'étais pas pudibonde.

— Tomaso, j'ai dit.

— Moi.

Il s'est avancé. C'était Tomaso. Il ne ressemblait à personne d'autre. Il était compact et explosif.

— Bonjour.

Il ne m'a pas répondu. Les deux autres se sont mis à pouffer et à se pousser du coude. Alors il a fait un geste, un geste très brusque, et il m'a regardée du coin de l'œil. Les deux autres ont filé à toute allure. Tomaso a déposé le ballon. Il marchait vers sa serviette. Je l'ai suivi.

— Je suis venue chercher Jennifer. C'est une amie à moi, j'ai dit. Elle vous regarde tout le temps.

Il marchait avec application, un pied devant l'autre. Il s'essuyait le corps avec ses mains. Je le voyais, Tomaso. Il n'allait pas avec Jennifer.

— Je voudrais la retrouver. Elle habite ici, mais je ne sais pas où. Dans quelle maison ?

Il ne me comprenait pas.

— Où qu'elle crèche ?

— Où qu'elle crèche ? il dit. Et comment je pourrais le savoir ?

Il étendit sa serviette. Je restais debout, alors il me prit le coude pour me faire asseoir.

— Elle vous regarde passer tous les jours derrière les persiennes.

— Pas toi ? dit-il.

Il s'appuya sur le coude.

— Moi, j'ai dit. J'habite Rome.

Il se mit à m'embrasser. Je regardais la mer, et je me perdis au fond. Quand je revins à la surface, j'étais seule sur la serviette. Tomaso shootait dans le ballon. Il ne voulait pas le laisser retomber à terre. Je me levai et partis.

Il était tard. Trop tard pour rentrer à temps chez moi. Une mélancolie désespérée commença à m'envahir. Je n'étais bonne à rien. Je ne retrouverais jamais Jennifer. J'allais passer le restant de ma vie à chercher quelqu'un comme elle, à qui je puisse parler. Je savais que je devais me rendre à la gare au plus vite. Je ne le fis pas. Je ne parvenais plus à me diriger. Mes pieds allaient et venaient, prenaient la direction de la gare, s'en éloignaient à nouveau... Je voulais me perdre, puis je voulais rentrer chez moi. Je décidai d'abandonner l'école et de prendre un emploi de serveuse pour vivre près de la mer. Puis, je m'abandonnai à l'idée de poursuivre mes études, jusqu'à un niveau très avancé, pour partir ensuite aux Etats-Unis et être admise à l'Université de Boston. Avec la pente des rues, je suivais les rêveries les plus folles, et j'arrêtais des passants pour leur demander s'ils ne connaissaient pas la fille américaine, la fille du pasteur.

Quand j'aboutis enfin à la gare, je n'avais rien appris et j'étais en larmes. Pour dissimuler les voies, on avait planté du laurier-rose. Je suivis la haie. Quelques instants plus tard, je trouvai un renfoncement et m'écroulai, face contre terre.

Le train pour Rome arriva bien plus tard, dans la soirée. J'avais tant pleuré que je me sentais maigre, comme si j'avais jeûné. Il me semblait que j'avais tout perdu, ma seule famille, mon seul bonheur. Je montai dans le train, hagarde.

Là, sur la banquette du retour, le chagrin continua à pulser au rythme de mes veines, en flux et reflux. Je pleurais puis je séchais mes larmes. Je décidais de revenir à Stanza coûte que coûte, puis je me penchais sur les conséquences de ma fugue. Rien n'était plus simple dans ma vie. Rien n'était plus attendu. J'avais oublié mon livre sous la haie de lauriers-roses, et mon ticket retour avec lui, mais le contrôleur ne me posa pas de questions. « Il suffit d'effacer le monde pour que le monde s'efface », pensais-je.

Comment s'appelait le pasteur qui avait donné asile au père de Jennifer ? Si seulement j'avais pu me souvenir de son nom. Et la mélodie de la ballade qu'elle avait chantée ? Pourquoi ma mémoire était-elle si mauvaise ? Pourquoi ne voulait-elle se souvenir que de scènes sans intérêt ? J'arrivai à Termini affamée, d'humeur à me coucher sur le sol et à tendre la main. Au lieu de quoi, je descendis dans les toilettes pour femmes et me lavai le visage et les mains et les genoux et les dents. Je pris deux pièces de monnaie dans l'argent volé à ma mère, et j'appelai Carla Bianchi, notre voisine.

— Carla, dis-je, je suis à Termini.

Elle vint me chercher, avec sa Fiat au toit ouvrant. Je retrouvai la fournaise, les fontaines, les marchands de pizzas, les motos.

— Qu'est-ce que je vais dire ? Maman va être folle, Carla.

Elle posa un doigt sur ses lèvres. Carla m'aimait, beaucoup. Je ne devais rien faire pour ça. C'était si reposant. Je me laissai aller sur le siège et contemplai les toits de Rome qui défilaient. J'avais chaud, très chaud au visage. J'abaissai le miroir de courtoisie. Une marque rouge me zébrait le nez. Carla fit des zigzags avec la Fiat, sa façon de dire : tu es sortie des sentiers battus, tu as été t'amuser.

— J'ai été voir la mer, Carla.

Nous arrivâmes à la maison. Des cris perçants jaillissaient des fenêtres et se répandaient dans tout le voisinage. Je me crispai. Carla mit ses bras autour de mes épaules.

— Comme ça, ils n'ont même pas vu que tu étais partie, dit-elle. Ils ne l'ont même pas vu. Tiens, voilà la clef.

Elle avait toujours une clef de rechange, au cas où. Je pris la clef mais aucun de mes muscles ne manifesta l'intention de bouger.

— Demain, je fais du tiramisù, dit Carla. Tu viens en manger, après l'école, et tu me racontes ton gros chagrin. Maintenant, tu montes, avant le malheur.

Je descendis de la Fiat qui partit se garer en pétaradant. Je poussai la porte de l'immeuble, entrebâillée jour et nuit, et je commençai à grimper vers les hurlements. Crise de jalousie. Acte deux. Ma mère, qui avait tisonné mon père depuis six heures du soir, était passée aux vociférations. Elle lui vomissait au visage le nom de toutes les femmes qu'il avait employées, saluées, ou même effleurées du regard depuis dix ans. Je me glissai dans l'appartement et tirai le rideau qui pouvait partager le vestibule en deux et dissimuler mon lit. Je dépliai mon ressort, puis mon matelas et mes draps. Je me déshabillai dans l'obscurité, en toute hâte, parce que mon père s'était mis à crier, lui aussi, et que cela signifiait qu'il n'allait pas tarder à sortir de la chambre.

Je m'étais à peine glissée entre les draps que mon père traversa le vestibule, pour aller faire couler un bain froid. Bien que toutes ces scènes se terminent de la même manière, ma mère continua à vociférer.

— Jennifer, murmurais-je. Jennifer.

Dans le noir, tout semblait possible à nouveau. Que je la retrouve un jour, que nous puissions marcher ensemble sur la plage, à Stanza.

Soudain, j'entendis la porte de la chambre claquer. Mon père tirait ma mère par les cheveux, pour l'amener jusqu'à la salle de bain et lui enfoncer le visage dans l'eau froide jusqu'à ce qu'elle se taise. Mais elle refusait de le suivre et s'accrochait au montant de la porte. Il tirait et la frappait. Elle résistait en hurlant. Ils étaient à deux mètres de moi.

— Jennifer, murmurais-je. Jennifer.

Ma mère cria mon nom, comme elle le faisait souvent.

— Léna, dis à ce salaud d'arrêter ; salaud, ta fille te regarde, elle ne dort pas, elle te voit.

— La mer, me dis-je. Léna, tu reverras la mer.

Car j'étais gardienne de troupeau, et ce troupeau, c'étaient mes pensées, des pensées que je ne partageais pas avec ceux qui criaient, là, de l'autre côté du rideau, et un jour je m'en irais loin, et je ne répéterais pas les mêmes gestes toute une vie, non, ma vie ne serait pas rectiligne, et cette fugue, cette fugue n'était qu'un début, et un jour ma vie entière serait une fugue, rythmée et transparente.

Table des matières

L'AUTEUR

Née à Anvers en 1960. Romancière,
dramaturge, scénariste.
A publié, en collaboration avec
Delperdange, le roman Place de
Londres *(éd. Le Cri/Vander) et la*
pièce Nuit d'amour *(éd. Actes Sud/*
Papiers), portée à la scène en
Belgique et à Paris par Gabriel
Garran.
En tant qu'auteur dramatique, Anita
Van Belle est l'auteur de Pépites,
Désastre détective *et* Belgicae,
comédie écrite en résidence à la
Chartreuse de Villeneuve-lès-Avignon
(éd. Première Impression), et
présentée au Festival d'Avignon en
1992.
L'auteur a également publié, dans la
collection Travelling, une nouvelle,
Tape-Dur, *incluse dans le recueil* Les
Garçons *(n° 93), et un roman,* Le
Secret *(n° 98). Tous deux ont été*
salués comme des réussites par la
critique et le public.

Dans la même collection :

N.B Les numéros non repris correspondent à des titres épuisés.

Achevé d'imprimer le 11 août 1994
sur les presses de la Nouvelle Imprimerie Duculot à Gembloux.